Picasso

ROBIN LANGLEY SOMMER

PML
EDITIONS

*Page précédente : Portrait de
Marie-Thérèse*, 6 janvier 1937
Huile sur toile
100x81cm
Musée Picasso

Réalisation : Les Cours avec la collaboration de
Roselyne Verbeke

© 1988 Bison Books Ltd
© 1991 PML Editions

ISBN 2-87628-216-X

Imprimé à Hong Kong

Sommaire

PORTRAIT

DE

L'ARTISTE

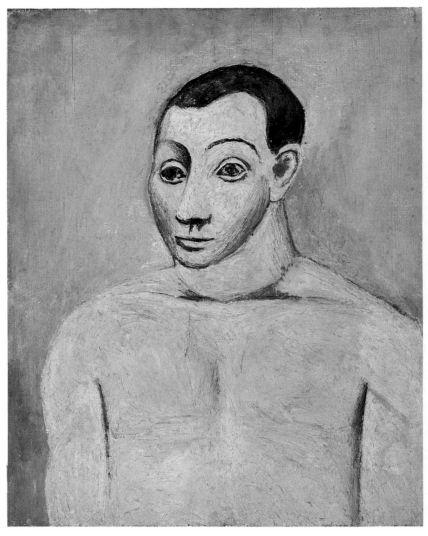

Né en 1881, Pablo Picasso continue à fasciner notre époque mouvementée et divisée. Sa vision claire, les distances radicales qu'il a eu le courage de prendre, par rapport aux conventions artistiques, son abondante productivité, le nombre impressionnant de moyens d'expression qu'il savait manier : peinture, sculpture, gravure, céramique, dessin, lui ont valu autant d'admirateurs que de détracteurs. Quelle fut la source de sa prodigieuse créativité ? En 1971, dans l'hommage à Picasso écrit deux ans avant sa mort : *L'Artiste du siècle*, son ami Jean Leymarie suggérait : "Picasso régnait sur le temps en vivant et en travaillant constamment dans le présent."

C'est Gertrude Stein qui disait que le "cubisme est une conception purement espagnole et que seuls les Espagnols peuvent être cubistes". Cette affirmation fait preuve d'une certaine perspicacité, bien qu'elle ne rende pas hommage aux Cubistes français, y compris à Georges Braque, ami intime de Picasso pendant ses premières années à Paris : il est impossible de dissocier Pablo Picasso de sa terre natale. Picasso est né le 25 octobre 1881 dans le port méditerranéen de Malaga où son père José Ruiz Blasco était artiste et professeur de dessin à l'Ecole des Arts et Métiers de la province d'Andalousie. Il a passé toute sa jeunesse dans le paysage qui apparaîtra maintes fois dans ses œuvres.

En 1891, la famille de Picasso s'installa à Coruna, petit port de la côte Atlantique où son père obtint un poste d'enseignant à l'Institut La Guarda. Le climat de Coruna, bien que plus froid et plus humide que celui de Malaga, s'avéra favorable au jeune Picasso qui avait déjà fait preuve d'un remarquable talent pour le dessin. Dans l'étude sur Picasso de 1956, son biographe Robert Maillard qui avait collaboré avec l'historien d'art Frank Elgar, mentionna que depuis l'âge de sept ans, l'artiste avait toujours un crayon en main et provoquait déjà l'admiration de ses parents ! Six ans plus tard, le jeune garçon était tellement passionné, qu'en 1984, Don José abandonna complètement la peinture et fit don

A gauche : cet autoportrait peint en 1906 fait apparaître les influences marquantes dans le travail de Picasso. Le visage est abordé comme un masque et les proportions exagérées des yeux, du nez et des sourcils montrent l'influence de l'art ibérique. Musée Picasso, Paris.

A droite : *Portrait de la mère de l'artiste* (1896). Ce portrait au pastel révèle les compétences techniques de Picasso à manier les matériaux, et sa capacité à saisir une ressemblance alors qu'il n'avait que quatorze ans. Musée Picasso, Barcelone.

Ci-dessous à gauche : Portrait de Lola (1899). Sa soeur Lola était à cette époque un de ses modèles préférés. Ce portrait témoigne de ce que Picasso doit aux Impressionnistes. Le sujet et son exécution sont comparables aux œuvres de Monet, Renoir et Degas. La signature de Picasso se lit ici P. Ruiz Picasso. Musée Picasso, Barcelone.

Ci-dessous à l'extrême gauche : La Riera de Sant Joan, Vue d'une fenêtre (1900). L'un des ateliers de Picasso à Barcelone se trouvait dans la Riera de Sant Joan. Il le partageait avec son ami Carlos Casagemas ; Picasso passa la plus grande partie de sa jeunesse dans les villes et par conséquent ses paysages sont souvent des vues peintes des fenêtres de ses ateliers, situés aux derniers étages d'immeubles surplombant les toits, ou de longues perspectives de rues. Musée Picasso, Barcelone.

officiellement de ses pinceaux et de ses couleurs à son fils. L'année suivante, lorsque la famille se réinstalla à Barcelone, le jeune Picasso fut admis à l'Ecole d'Art de la province de Barcelone, La Lonja, où son père enseignait. En 1896, il acheva en une seule journée l'ouvrage destiné à l'examen d'entrée, et dont le délai d'exécution accordé était d'un mois. L'installation à Barcelone avait fortement atteint le moral du père, mais n'avait cependant pas entamé sa détermination à faire tout ce qui était en son pouvoir pour encourager son fils, et peu après, il lui loua un atelier dans la Calle de la Plata. C'est là que le jeune artiste peignit *Science et Charité*, où un malade sur un lit est soigné par un médecin et une religieuse. Don José a posé pour le portrait du père, et le fait que Picasso peignit toute sa vie la plupart de ses personnages paternels avec une barbe témoigne de l'affection qu'ils avaient l'un pour l'autre. La bouleversante ressemblance de sa mère Maria Lopez Picasso et de sa sœur Lola est également apparue au milieu des années 1980. A l'âge de vingt ans, il avait atteint sa maturité artistique.

En 1897, il fut envoyé à Madrid pour y poursuivre ses études sur les conseils de son oncle Salvador. L'Académie Royale de San Fernando l'accepta immédiatement, mais il fut vite agacé par les contraintes administratives officielles et retourna à Barcelone. Lorsque pendant l'hiver 1898, il fut ébranlé par la maladie, son ami Manuel Pallarés l'emmena chez lui dans son village natal de Horta de Ebro en Aragon. Picasso s'y découvrit un amour profond pour la vie simple en plein air des gens du pays, et une sensibilité pour l'honnêteté naturelle des ouvriers de la campagne. "Tout ce que je connais, déclara-t-il plus tard dans sa vie, je l'ai appris dans le village de Pallarés".

De retour dans la communauté culturelle de Barcelone, il joignit rapidement le jeune groupe moderniste qui se réunissait au cabaret Els Quatre Gats (les Quatre Chats), équivalent du Chat Noir à Paris, redécouvrit Le Greco, et se mêla à tous les divers courants de pensée européens, de Nietzsche aux Impressionnistes français. Parmi ces fréquentations de cabaret, Picasso s'est créé des amitiés durables avec d'autres jeunes intellectuels dont Angel et Mateo Fernandez de Soto, le poète Jamime Sabartés, les peintres Carlos Casagemas, Sébastien Junyer, et le sculpteur Julio Gonzales. Il tirait spontanément leur portrait et le sien, selon l'inspiration du moment, et s'immergea dans le courant de la renaissance artistique de Barcelone.

A cette époque, le style Art nouveau allemand séduit le tempérament espagnol. De *Munich Jugend* et *Simplicissimus*, les premiers journaux du *Jugendstil*, étaient lus par des artistes espagnols. Selon Leymarie en 1901, Picasso essaya d'étendre le mouvement à Madrid et fonda un magazine d'art "sincère" *Arte Joven*, dans lequel apparaît, à côté de déclarations exaltées, la brillante profession de foi de Goethe pour l'harmonie universelle... alliée à une étude éloquente sur "la psychologie de la guitare, symbole de l'âme populaire et des émotions qui expliquerait sa forme féminine". La femme et la guitare seront des thèmes constants dans son œuvre.

Madrid étant trop conservatrice à son goût, Picasso fit le pèlerinage

Ci-dessous : Famille de saltimbanques (1905). En 1905, les nouveaux thèmes d'artistes itinérants et d'arlequins apparaissent dans les œuvres de Picasso. Il fréquentait le cirque de Medrano à Montmartre et se fit des amis parmi les personnages qu'il dessina. Comme Degas, Picasso fit le portrait de ces artistes , aussi bien pendant leur spectacle que dans les coulisses. Musée Picasso, Paris.

A gauche : L'eau-forte *Le Repas frugal* (1904) appartient à la période bleue. Le thème de la cécité y apparaît comme dans beaucoup d'autres œuvres (voir *Le Repas de l'aveugle*, 1903). La façon dont les mains sont peintes est intéressante. Leur élongation et leur exagération semblent compenser la perte de la vue. Collection privée.

de rigueur à Paris pour la première fois en 1900, avec son ami Casagemas et vendit trois tableaux de corridas au marchand Berthe Weill. Il en reçut 100 francs. Pendant son séjour, il se familiarisa avec les travaux des maîtres de peinture française, en particulier Renoir. Il étudia le travail des couleurs des néo-Impressionnistes, et fut influencé par Degas et le "milieu social" de Toulouse-Lautrec, serveurs, proscrits, mendiants.

A Noël, il retourna en Espagne, et en mai 1901, ses amis de Barcelone organisèrent une exposition de son œuvre, à la Sala Pares. Miguel Utrillo en fit une critique favorable dans le journal *Pel y Ploma* (Poil et Plumes). Ce fut après son second voyage à Paris en 1901 que le jeune artiste abandonna le nom de son père, et commença à signer toutes ses œuvres du nom de sa mère. Cela ne dénote nullement un sentiment de froideur à l'égard de son père, mais Picasso, par sa rareté, était le nom idéal pour un homme que ses amis voulaient singulariser, et dont la nature même le différenciait de tous les autres.

Les tableaux mélancoliques de sa période bleue qui commença en 1901, reflètent la pauvreté et l'isolement qu'il vécut à Paris et à Barcelone pendant les quelques années qui suivirent. ("Je ne sais pas du tout si je suis un grand peintre, dit-il un jour au poète Max Jacob, mais je suis un grand dessinateur"). Les peintures de la période bleue sont pour la plupart figuratives. Les personnages sont issus du monde de Lautrec, mais son interprétation met l'accent sur l'expression des gestes comme ceux des personnages de Renoir. Il s'orienta vers la critique sociale qui depuis que Zola avait publié *l'Assommoir* en 1877, avait été reprise par beaucoup d'artistes. La couleur pendant cette période est réduite à une seule teinte dominante, le bleu.

En 1904, lorsque Picasso s'installa à Paris au Bateau-Lavoir, un dédale d'ateliers délabrés dont les locataires fréquentaient le cabaret du Lapin Agile, il continua à peindre des portraits esquissés d'aveugles, de blanchisseuses, de proscrits, dont la couleur et l'humeur dominantes étaient bleues. La rencontre avec Max Jacob en 1904, par l'intermédiaire du marchand de tableaux Vollard, fit entrer Picasso dans la vie bohème Montmartroise. Il y rencontra le peintre espagnol Juan Gris, fut initié à l'art africain par André Derain, et reçut même de temps en temps la visite de Degas.

Les amitiés de Picasso allaient incontestablement vers ceux avec qui il partageait la misère et la solitude. Les scènes de rues colorées, les corridas, et les portraits des années antérieures furent remplacés par ces œuvres monochromes pour lesquelles il y avait peu de demande. C'est au cours de cette période que Sabartés observa Picasso au travail, et fut impressionné par la concentration de l'artiste : "Son attention est partagée entre la toile et la palette, sans jamais quitter des yeux ni l'un ni l'autre : toutes deux se tiennent dans son champ de vision, et il les perçoit ensemble. Il se donne corps et âme à son travail qui est le but de son existence ; tous ses sens convergent vers le seul objet placé devant lui, comme s'il avait été ensorcelé." Plusieurs années plus tard, Picasso fit remarquer lui-même que "rien ne peut se faire en dehors de la solitude. Je me suis fabriqué une solitude que personne ne peut imaginer".

C'est à ce moment que l'artiste de vingt deux ans réalisa sa première gravure à l'eau-forte, *Le Repas frugal*, faisant écho au ton mélancolique annoncé par ses toiles à dominante bleue. C'est aussi en 1904 que Picasso débuta une liaison avec Fernande Olivier qui sera son modèle et sa maîtresse pendant sept ans. En 1905, il travailla sur les thèmes de cirque, baladins, arlequins, acrobates dans une couleur toujours homogène, mais virant aux roses et aux tons de terre cuite. Les contrastes étaient évités, et les couleurs variaient dans certaines parties seulement, les costumes des arlequins et les paniers de fleurs. Les personnages profilés sur l'arrière-plan rappellent le cloisonnement de Puvis de Chavannes et de Gauguin. Les thèmes de music-hall de Lautrec, associés à l'univers de Degas se voient réunis dans les saltimbanques de Picasso.

Aux alentours de 1905, un "nouvel esprit de liberté" circulait dans l'art européen en général, et parmi les Fauves en particulier. Les artistes y recherchaient de nouveaux moyens d'expression plus puissants, en puisant dans un art plus primitif. Picasso trouva ses sources dans ses racines espagnoles : rites de la corrida, les peintures du Greco et l'art ancien ibérique, en particulier les fragments d'Osuna qui furent exposés au Louvre en 1906. Une visite au musée d'ethnographie du Trocadéro probablement en 1907, et l'acquisition d'objets d'art primitifs fournirent les bases de son travail pendant ces années, au cours desquelles ses personnages devinrent archaïques et sculpturaux.

Cette tendance dans l'art n'était pas rare ; au même moment Derain, Vlaminck et Matisse recherchaient l'art primitif et en particulier africain.

A Dresden (en Saxe), Kirchener étudiait les collections du département d'ethnographie de Zwinger. A Munich, Kandinsky étudiait les travaux primitifs des paysans bavarois. Cependant, Picasso dans son utilisation d'éléments primitifs, a développé une nouvelle structure picturale. L'influence primitive est visible dans les sculptures de Picasso pour lesquelles Fernande servit de modèle, et dans les premières œuvres cubistes de 1907. Picasso fut l'un des premiers peintres du XXe siècle à franchir la frontière étroite qui avait séparé la peinture de la sculpture, au cours du XIXe siècle.

Parmi les événements importants de 1905, Picasso rencontra le poète Guillaume Apollinaire qui publia, au mois de mai, un article enthousiaste sur le jeune artiste dans *La Plume*. Au printemps 1906, Gertrude Stein entra dans le cercle de ses relations. Cette émigrée américaine fut l'un de ses premiers grands mécènes dont il fit le célèbre portrait en 1906, après s'être détourné des thèmes sombres de sa période bleue pour peindre les arlequins, acrobates et acteurs de sa période rose ou de cirque. Stein et son frère s'étaient installés en France en 1904, et lorsque l'écrivain acheta rue Laffitte la toile *Fillette au panier de fleurs*, elle ne connaissait pas l'artiste. Elle désirait ardemment le rencontrer et se rendit au cabaret du Bateau Lavoir, où elle s'empressa d'acheter pour 800 francs de

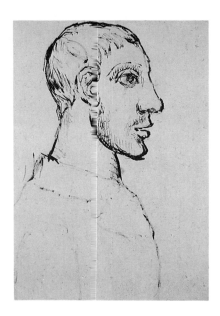

Ci-dessus : Autoportrait (1907) frappant par son mépris des formes de l'art traditionnel européen.

A droite : au printemps 1906, Picasso rencontra l'écrivain américain Gertrude Stein qui devait devenir son plus important mécène. La photo montre également son portrait par Picasso.

A gauche : la concentration de volume, la composition et le traitement de l'espace sans profondeur des *Grandes Baigneuses* de Paul Cézanne (1839-1906) eurent une influence sur *les Demoiselles d'Avignon* - Petit Palais.

Ci-dessus : D'où venons-nous ? Qui sommes-nous ? Où allons-nous ? (1897) Paul Gauguin. Gauguin était, pour beaucoup d'artistes de sa génération et d'après, l'archétype de l'artiste à "esprit libre". C'est dans l'utilisation de la couleur que son influence principale apparaît dans le travail de Picasso, le cloisonnisme - ébauche de ton foncé contenant une nuance légèrement sculptée. Collection Tompkins, Musée des Beaux-Arts de Boston.

A droite : Georges Braque vu ici à Paris en 1922, présenté à Picasso par Guillaume Apollinaire en 1907. C'est par le travail de Braque, en particulier une série de paysages exposés au Salon des indépendants en 1909, que le mot 'cubisme' fut créé. Plus tard, Braque fit connaître à Picasso la composition et le papier collé.

A gauche : Château de Médan (1880) par Cézanne. Appréciez la technique : le feuillage est peint par des coups de pinceaux diagonaux de couleurs différentes mais répétées. Cette utilisation de coups de pinceaux directionnels donne une unité et une harmonie au sujet, et peut aussi se retrouver dans les travaux de Picasso au début de l'époque cubiste, en particulier les paysages et natures mortes. Collection Burrell.

tableaux. Cet événement, bien accueilli, lui assura l'amitié des Picasso. Wilhelm Uhde et Ambroise Vollard, autres mécènes de la première heure, furent également les sujets d'un portrait cubiste en 1909.

1907 fut une année décisive pour le jeune peintre de vingt six ans à qui Vollard venait de faire découvrir le travail de Paul Cézanne. La création des *Demoiselles d'Avignon* fut directement influencée par la triomphale rétrospective des peintures et dessins de Cézanne au Salon d'Automne, et la conscience plus élevée de Picasso en faveur de l'Art africain et océanien. La toile resta enroulée dans l'atelier de Picasso pendant plusieurs années. Elle fut reproduite pour la première fois dans *La Révolution surréaliste* de 1925, mais ne fut exposée au public qu'après 1937. Selon la tradition, le titre du tableau ne lui fut donné que plusieurs

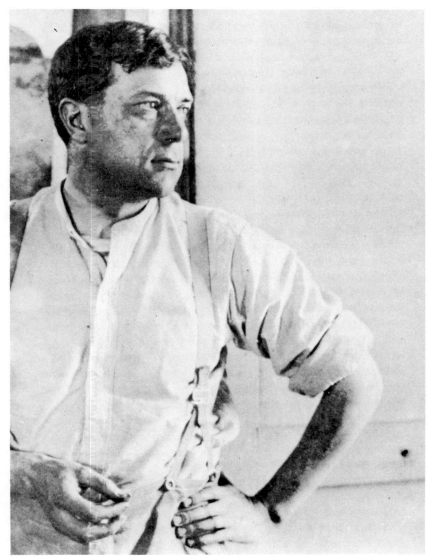

années après, par André Salmon, qui évidemment fit la remarque de la ressemblance des personnages avec les femmes d'un bordel de Barcelone. La composition fut modifiée plusieurs fois. Les premières études montrent un personnage de femme avec une épaisse tresse noire supposée être inspirée de Marie Laurencin, qui fréquentait le Bateau-Lavoir. Le personnage central était à l'origine un marin entouré de femmes, de fruits, de fleurs, tandis qu'un autre marin portant un crâne entre sur la gauche du tableau. Les marins avaient disparu dans la dernière version, pour faire place aux femmes et aux natures mortes de fruits. Le travail commença par *Les Demoiselles d'Avignon* en 1907, après que Picasso ait assimilé les leçons théoriques de Cézanne et commencé à se concentrer sur l'étude du volume, de l'espace et de lumière. (C'est en 1908, pendant la visite de Picasso à Horta de Ebro que le morcellement des surfaces pleines en facettes fut perfectionné). La composition des *Demoiselles* fut aussi influencée par Cézanne en particulier *Les Grandes baigneuses*, ainsi que sa manière de traiter l'espace sans profondeur. La façon de manier la couleur décorative appartient cependant à Gauguin. Dans son apparence générale, *les Demoiselles* sont proches d'une composition classique figurative - trois des cinq personnages féminins sont reconnaissables, même déformés - mais les détails trahissent la distance catégorique qu'il a pris par rapport aux conventions artistiques occidentales. Le personnage de gauche prend sa source dans l'art ibérique. La période barbare grecque de la péninsule se perçoit par l'agrandissement du menton et des oreilles et de l'œil tracé sur le front. A droite, les têtes des personnages sont déformées pour prendre les traits de masques proches des sculptures de l'Afrique coloniale bien connues de Picasso.

Toutefois, la forme et la composition révèlent l'influence de Cézanne. La principale théorie de Cézanne consistait à ce que l'artiste réalise une composition basée directement sur l'observation de la nature, et ensuite applique sa conception à la nature. En partant de ce principe, Cézanne parvient à son idée souvent reprise (publiée en 1906 par Emile Bernard), que la nature devrait être traitée en termes de formes géométriques, comme la sphère, le cône et le cylindre. En étudiant les aspirations de Cézanne, la règle formelle du cubisme apparaît.

C'est *Demoiselles*, le tableau qui scandalisa ses amis et associés, qui fit naître l'amitié de Picasso et du marchand de tableaux allemand, Daniel Henry Kahnweiler qui dirigera son travail pendant toute sa carrière. Wilhelm Uhde emmenera Kahnweiler voir la peinture inachevée, peu après que celui-ci ait ouvert sa galerie rue Vignon, et il en fut très profondément marqué. A peu près au même moment, Apollinaire présenta Picasso à Georges Braque avec qui il eut énormément d'échanges pendant les années suivantes. Braque avait été lié aux peintres fauvistes mais avait commencé à retravailler leur esthétique, après avoir étudié le travail de Cézanne et la sculpture africaine. Braque était parvenu seul fondamentalement aux mêmes conclusions que Picasso.

En 1908, Braque se rendit à l'Estaque près de Marseille où il commença à appliquer les principes de Cézanne. Les paysages qu'il produisit furent soumis au jury du Salon d'Automne qui les rejeta. Matisse qui avait été membre du jury, parla d'un paysage de cubes, et le critique

d'art Louis Vauxcelles, parla des paysages de l'Estaque au Salon des Indépendants en 1909, comme 'd'excentricités cubistes'. Le cubisme était consacré.

L'intérêt de Picasso pour la forme le conduisit naturellement à la sculpture. Dans ses explorations tri-dimensionnelles, il utilisait une variété de techniques allant de la gravure sur bois et de la pâte à modeler, au plâtre à moulage, aux assemblages moins traditionnels, empreintes et montages. Les premières sculptures sur bois remontent à peu près à 1906. Cette technique fut par la suite abandonnée par la plupart des artistes, sauf par Gauguin dont le travail fut connu de Picasso dès 1901. L'intérêt pour le travail de Gauguin fut ravivé, particulièrement après l'exposition rétrospective du Salon d'Automne en 1906. A la suite de cela, les gravures de Picasso devinrent primitives par les personnages, les techniques de gravure et le motif.

De 1909 à 1915, un intérêt accru pour la forme aboutit au bronze *Tête de Femme* (*Fernande*) construit dans ce qui semble être des plans brisés. Dans la peinture de Picasso, le volume devait être aplati et brisé pour être adapté non pas à deux dimensions, mais en trois dimensions, la sculpture offrit la possibilité d'utiliser des surfaces planes pour réaliser des volumes. Dans la période 1910 à 1925, Picasso produisit *le Verre d'absinthe* (1914), un bronze peint et la seule pièce en ronde-bosse.

Vers 1911, le train de vie des Picasso s'était nettement amélioré. Gertrude Stein se souvient de leur déménagement du vieil atelier de la rue Ravignan pour un appartement du boulevard de Clichy : "Fernande commença à acheter des meubles et à avoir une domestique... Fernande avait à cette époque une amie dont elle me parlait souvent. C'était Eva qui vivait avec Marcoussis. Un soir tous les quatre vinrent rue de Fleurus." Fernande eut bientôt des raisons de regretter son admiration pour la jeune et vive Eva Gouel ; elle abandonna rapidement Marcoussis pour Picasso qui tomba fou amoureux d'elle. En 1912, ils partirent ensemble à Avignon et Sorgues, s'enfuyant à chaque fois que des amis importuns venaient déranger leur idylle. Leymarie relate que Picasso écrivit à Kahnweiler, avec qui il avait récemment signé son premier contrat de trois ans, pour lui dire : "Je l'aime énormément et j'inscrirai son nom sur mes tableaux." La collection *Ma Jolie*, peinte avant la guerre a été exécutée en hommage à Eva.

A cette époque, on peut dire que l'impact des nouvelles formes esthétiques était tel qu'aucun artiste occidental ne pouvait échapper à cette influence. Déjà en 1909, Albert Gliezes, Jean Metzinger, Francis Picabia, Auguste Herbin, Henri Le Fauconnier et André Lhote commencèrent à travailler d'après les principes cubistes. En 1910, Robert Delaunay, Marcel Duchamp, Fernand Léger et Juan Gris, qui continuaient à

Ci-dessus : Tête de femme (1909) montre l'intérêt de Picasso pour la sculpture.

Ci-dessous à droite : Femme assise (1909). Le corps est construit avec des facettes bien dessinées et un sentiment de solidité apporté par l'utilisation de modelage monochrome.

Ci-dessous : Tête de femme (*Fernande*) 1909 musée Picasso, Paris.

Ci-dessous à l'extrême droite : étude pour le rideau de *Tricorne* (1919) que Picasso peignit pour une production des ballets russes de Diaghilev. Collection Paul Rosenberg, musée d'Art Moderne.

peindre dans un style dérivé de Lautrec rejoignirent le mouvement. En 1912, les innovations cubistes étaient représentées par une grande variété d'artistes, chacun dans leur style propre. Après la visite à Paris de l'artiste russe Vladimir Tatlin en 1913, l'Est fut converti au cubisme. Impressionné par les instruments de musique en étain et en carton qu'il vit dans l'atelier de Picasso, Tatlin retourna à Moscou pour essayer les reliefs construits à partir de matériaux de construction.

Picasso semble tirer sa nouvelle renommée dans sa foulée. Aux critiques portées sur le cubisme, il répondit avec une ironie désabusée que "si le cubisme est un art de transition, je suis certain que la seule chose qui en ressortira sera une autre forme de cubisme". Et Gertrude Stein, en parlant d'elle-même à la troisième personne dans l'*Autobiographie d'Alice B. Toklas*, écrivit que "elle dit toujours à propos des jeunes peintres, qu'une fois que tout le monde sait qu'ils sont bons, l'aventure est terminée. Et Picasso ajoute avec un soupir, "même lorsque tout le monde sait qu'ils sont bons, il n'y a pas plus de gens qui les aiment que lorsque peu de gens savaient qu'ils étaient bons".

Au printemps 1914, Picasso quitta la rue Schœlcher, où il avait partagé un logement avec Eva. Stein raconte que "de ses amis, beaucoup d'entre eux le suivirent à Montparnasse, mais que ce n'était pas pareil. L'intimité avec Braque en pâtissait et de ses anciens amis, les seuls qu'il voyait étaient Guillaume Apollinaire, et Gertrude Stein". A cette époque, le bonheur de Picasso était terni, non seulement par la guerre mais par la santé précaire d'Eva qui mourut l'année suivante.

En 1916, Picasso rencontra le jeune et brillant poète, Jean Cocteau qui lui fit connaître le monde du ballet russe. Leymarie raconte que Picasso "qui avait toujours été fasciné par la scène, collabora d'autant plus passionnément qu'il épousa l'une des danseuses de Sergei Diaghilev (Olga Koklova, en 1917). Cette année-là, il dessina les remarquables décors et costumes de *Parade*, ce qui fut l'occasion de son voyage en Italie". L'idée de Cocteau d'un ballet moderne présenté pour la première fois à Paris, le 17 mai 1917, au théâtre du Châtelet, était de réunir une musique d'Erik Satie, les dessins de Picasso et la chorégraphie de Massine. Les motifs de Picasso, inspirés en partie seulement du cubisme, revinrent à nouveau aux thèmes d'arlequins et du cirque. L'idée de Cocteau était d'avoir un rideau distrayant mais qui maintiendrait l'auditoire dans l'ignorance, et non préparé au spectacle en lui-même, ce qui se révélait être une grave attaque au conformisme et déclencha une réaction violente de la part du public de ballet habitué au répertoire classique. Dans la préface des programmes, Apollinaire appela ce mélange de fantaisie et de réalisme "surréalisme". Deux ans plus tard, la production de Manuel de Falla du *Tricorne* avec son thème espagnol inspira le motif du rideau final d'arène - la corrida était l'une des passions que Picasso partageait avec son père.

Au début des années 20, Picasso développa deux styles apparemment opposés. Le premier était une tendance réaliste avec des thèmes classiques dépeignant de grands personnages sculpturaux. Après la Première Guerre mondiale, le climat idéologique de l'Europe favorisa naturellement un retour aux valeurs traditionnelles d'ordre et d'équilibre, dans la vie comme dans l'art. Une génération entière d'écrivains et d'artistes ont été profondément influencés par l'antiquité. Dans ce classicisme, Picasso n'était pas seul ; *Antigone* de Cocteau et *Œdipus Rex* de Stravinsky témoignent de ce climat artistique et politique. Toutefois, le style propre de Picasso se distingue des autres. D'une certaine manière, semblable aux maniéristes du XVIe siècle, comme *La Madone au long cou* de Parmigianino, il allonge les personnages, élargit et raccourcit sérieusement les membres.

A côté du style néo-classique, Picasso produisait une série de natures mortes et d'arlequins dont l'apogée en 1921 se traduisit par deux versions de *Trois musiciens*. Les deux versions représentent trois personnages masqués. Un pierrot joue de la clarinette, un arlequin de la guitare, et un singe chante. La composition ressemble à une scène de théâtre et les formes larges sont presque toutes géométriques, reconstituées par une technique "synthétique". Les deux peintures diffèrent par

le chien qui apparaît seulement dans la version du Metropolitan Museum de New York. Leymarie remarque également que la naissance du premier fils de Picasso, Paulo, en février 1921, marque un nouveau cycle de *Maternités* différent des périodes bleue et rose. *La Famille au bord de la mer* représente, dit-on, l'entrée de Picasso dans la vie de famille, et fut suivie de portraits de son fils habillé en arlequin et en pierrot.

Pendant les années 20, la religion et la philosophie produisirent des idées qui par la suite donnèrent naissance au surréalisme et à l'existentialisme Aux environs de 1925, le style de Picasso exprima un changement qui rapprochait son travail du surréalisme, en y ajoutant des thèmes et motifs absurdes et même monstrueux.

En 1931, pour échapper aux problèmes conjugaux, Picasso installa un atelier dans une maison de campagne de Boisgeloup qui lui donna l'espace dont il avait besoin pour essayer une nouvelle approche de la sculpture. Il demanda à son ami de longue date, Julio Gonzales, de lui enseigner les techniques de sculpture métalliques, et au début des années 30, il produisit plus de cinquante pièces différentes, y compris le montage d'objets et de matériaux fabriqués - prolongement du cubisme de collage en constructions à trois dimensions. Picasso vivait à Boisgeloup avec Marie-Thérèse Walter qu'il avait rencontrée par hasard en 1927, maintenant sa maîtresse, un ancien mannequin qui lui donna une fille, Maïa, en 1935. L'image de Marie devait dominer la période 1931-1936 dans les peintures et les sculptures de Picasso dans une série de nus allongés et assis. Les courbes et les formes arrondies utilisées dans ces peintures mettent en valeur la qualité sculpturale de Marie-Thérèse.

Au début des années 30, Picasso produisit également une œuvre graphique illustrant aussi bien *Le Chef-d'œuvre inconnu* de Balzac et *les Métamorphoses* d'Ovide, que les poèmes de ses amis Tristan Tzara et Paul Eluard. Picasso avait aussi commencé à écrire des poèmes en espagnol et en français, et fut publié en mai 1936 par le surréaliste André Breton, dans une édition spéciale des *Cahiers d'Art*.

Le milieu des années 30 fut agité pour Picasso, non seulement en raison de ses conflits familiaux, mais à cause d'une crise intérieure à propos de sa longue absence d'Espagne où il se rendit pour la dernière fois en 1934. Les œuvres de cette époque associent d'une manière dramatique de vraies scènes de corridas espagnoles avec le cycle légendaire antique du Minotaure.

Les difficultés de sa vie personnelle tiraillée entre Olga et Paulo, et Marie-Thérèse et Maya, se reflètent aussi dans plusieurs dessins du milieu des années 30, que Picasso décrit lui-même "comme les pires moments de sa vie". En 1936, ces problèmes furent aggravés lorsque Paul Eluard présenta à Picasso Dora Maar, la photographe yougoslave

Ci-dessus : Pablo Picasso (1935) photographié par Man Ray. Comme le travail de Picasso devenait de plus en plus surréel, il est normal que ce portrait ait été pris par l'éminent photographe surréaliste.

Ci-dessus : supporters armés de la cause républicaine en 1936, pendant la guerre civile espagnole. Le thème des femmes qui pleurent se retrouvent constamment dans le travail de Picasso pendant les années de guerre et après.

A droite : prise en 1936 pendant la guerre civile espagnole, cette photographie montre les troupes gouvernementales sur la cathédrale de Sigüenza tirant sur les rebelles dans une tentative d'arrêter leur avance sur Madrid.

A gauche : Picasso (deuxième sur la droite) à Antibes en 1937 avec Dora Maar (extrême droite), la photographe yougoslave que Picasso rencontra en 1936. En premier plan, le photographe Man Ray.

qui partagera sa passion pour son travail - qui restera de tous temps son premier amour.

Au début de la guerre civile espagnole, Picasso était violent dans son opposition au renversement du gouvernement par le général Francisco Franco. Picasso fut récompensé de son soutien aux républicains en étant nommé directeur du musée du Prado. En avril 1937, la ville basque de Guernica fut attaquée par des bombardiers de la légion Condor allemande, sous les ordres de Franco. A cette époque, Picasso travaillait, sur commande du gouvernement démocratique espagnol, une œuvre murale pour le pavillon espagnol à l'Exposition Mondiale de Paris. Cette commande et la condamnation mondiale de l'acte de Franco fit naître Guernica, que Janson a si exactement décrit comme une évocation de l'agonie de la guerre totale.

La peinture murale de *Guernica* d'environ huit mètres fut exécutée en plusieurs mois, et photographiée par Dora Maar à toutes les étapes de sa réalisation. Elle fut installée au pavillon espagnol mi-juin. Depuis le milieu des années 30, l'œuvre de Picasso devenait de plus en plus

expressive. Les premières formes courbes firent graduellement place aux formes angulaires plus nettes. Les thèmes traitaient souvent de destruction, utilisant comme symboles les chevaux et les taureaux. Ces animaux procurèrent la structure symbolique de *Guernica*. Un cheval éventré qui se débat au centre d'un triangle équilatéral intégré dans la composition, devient le symbole de la douleur. A l'extrême gauche, le taureau reste figé et immobile. Tous deux se partagent l'évocation de la souffrance humaine. - personnages fuyant dans la panique, une femme qui tombe, le corps d'un combattant à terre. Plus haut le personnage d'une femme pénètre dans le tableau en tenant une lampe. La composition de l'espace suggère une vue à la fois intérieure et extérieure, peinte en noir, blanc et gris. Cette conception d'un art symbolique - Picasso a traduit l'événement qu'il dépeint par signes et symboles - hausse *Guernica* à l'état de mythologie universelle. Les signes picturaux ont fait de *Guernica* une légende.

Dans les dernières années de la décennie, Picasso retravailla les images de *Guernica* dans des tableaux tels que *Femme qui pleure*. On peut aisément voir dans ces œuvres les signes avant-coureurs de la Seconde Guerre mondiale, en particulier quand l'artiste fit observer gravement à cette époque "qu'avec moi, une image est une somme totale de destructions. Je fabrique une image et je la détruis".

A cette époque il y a, dans toute l'œuvre de Picasso, un sens de forte prémonition comme dans *Chat saisissant un oiseau* (1939). Les peintures pendant la guerre sont empreintes d'angoisse et de désespoir, mais il y a aussi des portraits de Dora Maar qui avait partagé sa vie depuis 1936, et de sa fille Maïa.

Comme la guerre se prolongeait et que la situation en Europe empirait, les réactions de Picasso s'intensifièrent. Les études de têtes humaines subirent de violentes transformations. Pendant les années

sombres, après la défaite de la France en 1940, Picasso resta dans son atelier parisien de la rue des Grands-Augustins. Lorsqu'un contingent d'officiers allemands lui rendit visite, et demanda à voir son travail, il leur donna une photo de Guernica. L'un d'eux lui demanda :"Est-ce vous qui avez fait cela ?" Picasso répondit "Non, c'est vous."

Bien que les matériaux soient rares, la production de Picasso pendant la guerre fut considérable, à la fois par ses tableaux et ses sculptures. Pendant l'hiver 1941, Picasso écrivit aussi un roman assez court, *Le Désir attrapé par la queue*, révélant une compréhension profonde de l'insécurité et de la faiblesse de l'individu. Le travail des années de guerre montre une adhérence tenace à la réalité organisée de la vie quotidienne qui suit son cours malgré l'adversité. C'est en 1943 que

A droite : la version en bronze de *La Chèvre* ne trahit pas la méthode d'assemblage utilisée par Picasso : le ventre est un panier en osier, les jambes sont des moulages de fer, et les mamelles sont deux pots en terre. Tous ces éléments ont été pris et assemblés dans du plâtre. Musée Picasso, Paris.

A gauche : Picasso peignant une urne dans l'atelier de madame Ramié (1948).Quand Picasso se rendit à Golfe-Juan en 1946, il rencontra Georges et Suzanne Ramié qui dirigeaient l'atelier Madoura, une fabrique de céramique. Cette rencontre suscita chez Picasso un grand intérêt pour la céramique.

Ci-dessous : cette assiette datant de 1957 est une démonstration de l'étendue des techniques de Picasso en poterie. Musée Picasso, Paris.

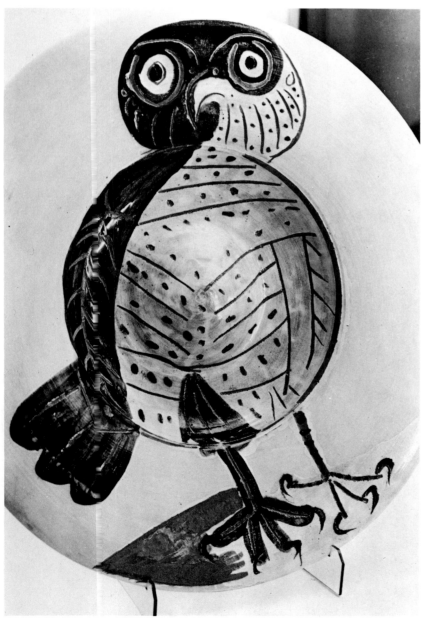

Picasso réalisa son montage impressionnant *Tête de taureau*, dans lequel une selle de bicyclette servit de tête d'animal et le guidon de cornes. Picasso s'arrangea pour que le montage soit coulé dans le bronze, croyant que le métal donnerait un sens d'unité aux objets n'ayant aucun lien entre eux, et cacherait leur vraie nature. Toutefois ce que nous voyons ce sont les réels objets qui, à n'importe quel moment, peuvent retourner à leur utilisation première. Comme le dit Picasso, *Tête de Taureau* aurait dû être jeté immédiatement après. L'année 1943 fut aussi celle où Picasso rencontra Françoise Gilot, jeune peintre avec qui il vécut après la fin de la guerre, et qui lui donna deux enfants à la fin des années 1940. La principale pièce à trois dimensions de cette période, *L'Homme au mouton*, est une pièce entièrement sculptée. La maquette en terre fut réalisée dans l'atelier de la rue des Grands-Augustins et moulée dans le plâtre presque immédiatement en raison du risque d'effondrement. L'arête aiguë de la tête du mouton contraste fortement avec la solide posture du berger, archétype d'endurance. Picasso conservera cette statue jusqu'à la fin de ses jours, la transportant dans tous ses déménagements.

Après la Libération de Paris en août 1944, Picasso annonça qu'il avait rejoint le Parti Communiste, ce qui souleva une tempête de protestations au Salon d'Automne. Quelques semaines plus tard, dans une interview au *New Masses* (NY), Picasso expliquait sa position : "J'ai toujours été un exilé, disait-il. A présent, je n'y suis plus. En attendant que l'Espagne accueille mon retour, le Parti Communiste français m'a ouvert les bras, et j'y ai trouvé ceux que j'estime le plus, les plus grands scientifiques, poètes, tous ces beaux visages d'insurgés parisiens que j'ai vus pendant les journées du mois d'août (de la Libération de Paris). Je me retrouve parmi mes frères." Mais comme beaucoup d'intellectuels, Picasso se retrouva bientôt face aux problèmes posés par l'art engagé, et par son refus de se soumettre aux contraintes du Réalisme Socialiste. Après la Libération et le retour de ses vieux amis de l'étranger, Picasso partit à nouveau pour la Méditerranée. Malheureusement, son ami Max Jacob n'était pas parmi ceux qui vécurent pour voir la Libération. Il avait été interné au camp de concentration de Drancy, et était mort d'une pneumonie le 5 mars 1944. Durant les mois qui précédèrent son départ, Picasso avait travaillé sur des lithographies de nature morte, et de scènes de tauromachie. Lors d'un séjour prolongé en 1946 au Château d'Antibes, le thème de ses sujets changea littéralement. Des images légendaires de nymphes, de faunes, et de satyres dans des compositions arcadiennes apparurent.

DEUXIÈME CONGRÈS MONDIAL DES PARTISANS DE LA PAIX

LONDRES 13·19 NOVEMBRE 1950

MOURLOT IMP. PARIS

Picasso occupa aussi la villa La Galloise, une maison vide près du village de Vallauris, centre de fabrication de poterie depuis l'époque romaine. En 1947, l'année ou Françoise Gilot donna naissance à leur fils Claude, Picasso s'intéressa aux poteries de Vallauris. L'année suivante fut riche en production de céramiques, semblables dans le travail à ses sculptures polychromes. A la même période, il continua à peindre des portraits de Françoise, de son fils Claude et de sa fille Paloma, nés en 1949, en arabesques et brillantes couleurs.

La présence de Picasso donna un nouvel élan de prospérité à la ville de Vallauris. Le bronze grandeur nature, *L'Homme au mouton*, fut érigé sur la place principale, et Picasso fut invité à décorer une petite chapelle qui était tombée en désuétude. A ce moment-là, Picasso était devenu très actif dans le mouvement pour la paix, sa colombe se voyait fréquemment sur les affiches et les programmes distribués par le mouvement. La naissance de deux jeunes enfants fut aussi l'occasion d'un nouveau cycle de maternités.

Après sa séparation d'avec Françoise en 1954, Picasso acheta une autre résidence-atelier, la villa La Californie, à Cannes. Il avait rencontré l'année précédente, Jacqueline Roque à Perpignan, et ils n'avaient pas tardé à partager son atelier parisien de la rue des Grands-Augustins. En 1955, la première épouse de Picasso, Olga, dont il était séparé depuis 1935, mourut à Cannes ; sa relation avec Jacqueline dura jusqu'à la fin, en dépit d'une différence d'âge de quarante sept ans. Elle inspira un nombre considérable de ses œuvres, pendant presque toute la durée des vingt années qui suivirent, dont *Jacqueline dans un fauteuil à bascule*. Ils se marièrent en 1958.

L'année 1954 apporta la nouvelle de la mort de Matisse, le vieil ami et rival de Picasso dont il disait souvent : "Au fond, il n'y a que Matisse." Le 13 décembre, Picasso commença à travailler sur une série de quinze variations sur le tableau de Delacroix, *Les Femmes d'Alger dans leur appartement*. La série fut terminée en février 1955. Ce n'est

A gauche : affiche pour le deuxième Congrès Mondial pour la Paix, 1950. Picasso était actif au sein du Mouvement et la colombe de la paix se voyait couramment sur les programmes et affiches du mouvement.

Ci-dessous : *Mère et enfants* (1953). Le thème de la maternité qui a régulièrement occupé une place dans l'œuvre de Picasso, réapparut pendant l'enfance de Claude et de Paloma. Collection privée.

Ci-dessus : Déjeuner sur l'herbe (1863),
Edouard Manet. Le thème commun de
la peinture de Picasso de 1950 à 1963
est basé sur les variations d'après les
grands maîtres tels que Delacroix,
Vélasquez et Manet. Le sujet des
baigneurs sera repris par les artistes
tout au long des XIXe et XXe siècles.
Musée d'Orsay, Paris.

A gauche : Déjeuner sur l'herbe, de
Claude Monet. L'impressionniste
Claude Monet produisit également sa
variation sur ce sujet. Picasso
continuera à travailler sur le sujet à
travers 27 peintures, 140 dessins,
3 gravures sur linoléum, et
10 maquettes en carton pour sculpture.
Musée Pouchkine à Moscou.

pas la première fois que Picasso avait utilisé le thème ou le sujet d'un tableau comme base pour ces variations. D'autres exemples proviennent de différentes sources - Le Nain, Renoir, Poussin, Lucas, Cranach, Courbet et Le Greco, ont tous apporté leur contribution. Ces variations seront suivies d'une succession de travaux sur *Les Ménines* de Velasquez, et les *Déjeuner sur l'herbe* de Monet et de Manet.

Bien qu'il y ait eu deux versions des *Femmes d'Alger* de Delacroix, Picasso affirmait qu'il n'en avait vu aucune depuis plusieurs années, et prétendit avoir travaillé sans l'aide de reproductions, mais en laissant simplement sa mémoire visuelle le guider. Picasso peignit rapidement à la suite les variations, quelques-unes sont en monochrome, d'autres avec des couleurs vives. La même tendance, commençant par des études figuratives et se terminant par des abstractions légères dans les dernières œuvres, peuvent se retrouver dans la série basée sur *Les Ménines*, peinte trois années plus tard. Ces années marquent également le retour à des thèmes familiers, tels que l'atelier, le peintre et le modèle, et virent l'inauguration de deux sculptures monumentales aux Etats-Unis - au Centre Municipal de Chicago et à l'Université de New York. Au cours de l'été 1953, Picasso devient aussi l'acteur principal du film *Le Mystère Picasso*, produit par Georges Clouzot.

La concentration des thèmes fut allégée pendant cette période de peinture par des études de paysages et les colombes nichées sur le balcon de son atelier. Ces peintures d'une lumière méditerranéenne vive contrastent avec les intérieurs sombres des peintures de la Cour espagnole.

En 1958, Picasso acheta la majestueuse demeure que Duncan décrit comme "le lointain et austère château de Vauvenargues", avec la plupart des versants Nord de Sainte Victoire, "la Montagne de Cézanne", près d'Aix-en-Provence... le paysage rude environne le château, lui rappelant probablement l'Espagne qu'il ne reverrait jamais'. Picasso et Jacqueline y vécurent seulement deux années ; puis le trouvant trop isolé, ils emménagèrent brièvement à La Californie, avant d'acquérir Notre-Dame-De-Vie, à Mougins. Cette villa tentaculaire près de Cannes, ombragée par des oliviers, sera la résidence de Picasso jusqu'à la fin de sa vie le 8 avril 1973 ; Picasso avait presque quatre-vingt-douze ans. "Il avait travaillé, rappelle Duncan, jusqu'au petit matin, le jour de sa mort." L'artiste qui avait gravé à l'eau forte *Le Repas frugal* en 1904 laissa un domaine évalué à 300 millions de dollars. Il fut inhumé au pied du grand escalier, à l'extérieur du château de Vauvenargues, sur un terrain marqué simplement de son personnage de bronze, une mère nourricière, *Femme au vase*, qu'il avait moulé en 1933. Deux années avant sa mort, Leymarie avait écrit ce qui aurait pu être son épitaphe : "Il a survécu à sa révolution et continue à marquer le siècle de ses pouvoirs inépuisables d'auto-renouvellement et de la souveraineté de son génie, à la façon solitaire et autoritaire de Michel-Ange."

Ci-dessus : cette photo fut prise en 1955, l'année où la première épouse de Picasso, Olga, mourut, et l'année où Picasso s'installa dans la villa Californie près de Cannes.

A droite : en mai 1962 Picasso obtint le prix Lénine de la Paix pour la seconde fois. Le thème de la colombe se poursuivit dans son œuvre, à la fois comme symbole de paix et comme représentation des colombes qui étaient perchées sur le balcon de son atelier.

PREMIERES ŒUVRES

LES PERIODES
BLEUE ET ROSE

Durant l'automne 1900, Picasso se rendit pour la première fois à Paris, centre culturel et artistique européen. A cette époque, il était déjà familiarisé avec les idées auxquelles s'intéressaient les artistes européens, et avait fait connaissance avec les œuvres des peintres français modernes, tels que Lautrec, Gauguin et Van Gogh. Picasso intégra ce qui lui plaisait dans les styles des artistes français, trouvant lui-même son inspiration dans la vie bourgeoise joyeuse et les couleurs vives des cabarets, dans les jardins publics et les rues de Paris. Favorablement influencé par les compositions de Degas, et les procédés de couleurs des néo-Impressionnistes, Picasso traitera des thèmes pris dans le monde de Lautrec et Degas. Le thème du théâtre et du music-hall, et la manière d'utiliser les pastels dans *Femme devant le miroir (La Loge)* (1900) ont un point commun avec le travail de Degas. *Sabartès, en poète décadent* (1900) trahit l'esthétique symboliste : le lys, la rose et la croix sont tous des motifs communs dans le mouvement symboliste d'art et de littérature, tout en incarnant l'esprit du dernier style international : l'Art nouveau. Dans *Amants dans la rue* (1900), qui est comparable à *La Danse de la Vie* de Munch (1899), Picasso montre une fois de plus des personnages de l'univers montmartrois, mais à présent avec un intérêt pour leur vie quotidienne.

En 1901, Picasso retourna à Paris et, jusqu'en 1904, lorsqu'il s'y installa définitivement, il fit des allers et retours entre Paris, Madrid et Barcelone. Au cours de ses séjours à Paris, Picasso fut considérablement influencé par certaines expositions - la rétrospective Seurat qui s'est tenue à *La Revue Blanche*, l'exposition Van Gogh, et les expositions en mémoire de Toulouse-Lautrec, en 1901, et de Gauguin, en 1903.

C'est en 1901, après quelques mois passés à Madrid, que l'humeur de Picasso changea radicalement ; un élément de mélancolie, renforcé par des tons froids de bleu, apparut, et commença à dominer ses travaux. Les sujets de ses peintures étaient fréquemment des vagabonds, clochards, proscrits, tous en marge de la société, et méprisés à cause de leur pauvreté. Guillaume Apollinaire dira de ses tableaux que "Picasso a regardé les images dans le fond de nos mémoires...combien ils sont surnaturels ces ciels tous agités d'espoirs grandissants, ces lumières aussi lourdes et basses que celles d'une cave". Les allégories de la cécité, de l'amour, de la mort et de la maternité sont maintenant manifestes dans les grandes compositions, avec des personnages en forme de statue dans un arrière-plan simple. Au début de l'année 1901, le poète Casagemas qui avait accompagné Picasso à Paris se suicida. C'est cet événement que beaucoup de critiques voient comme marquant le début de la période bleue de Picasso.

Dans *La Mort de Casagemas* (1901), malgré la technique empâtée pesante et les couleurs vives, caractéristiques de la période parisienne, le thème tragique annonce un art chargé d'une émotion profonde. Même dans les œuvres où l'attrait du sujet est perceptible, comme dans *l'Enfant au pigeon* (1901), toute sentimentalité est maîtrisée par les contours épais et la monotonie de la forme, à la manière de Gauguin et de Van Gogh.

Pendant ses premières années à Paris, Picasso vécut dans des conditions misérables. Sa première exposition, organisée par le marchand Ambroise Vollard en juin 1901, n'eut pas de succès, ni d'ailleurs celle de l'année suivante, avec Berthe Weill. L'autoportrait de 1901 rappelle par son exécution, certains autoportraits de Van Gogh dépeignant sa désillusion et sa propre misère. Plusieurs années après, Picasso dira : "Lorsque je commence une peinture, il y a quelqu'un qui travaille avec moi. A la fin, j'ai l'impression d'avoir travaillé sans assistant."

Le drame de la cécité est un thème constant tout au long de la vie de Picasso. Pendant la période bleue, il y a eu de nombreux tableaux exprimant sa compassion pour des clochards aveugles, tels que *Le Repas de l'aveugle* (1903). Il produisit également des eaux-fortes, comme *Le Repas frugal* (1904) et la dernière série du *Minotaure aveugle* en 1934.

Lors de ses déplacements entre l'Espagne et Paris, Picasso peignit *la Famille Soler* (*Le Déjeuner sur l'herbe*), (1903). Le tailleur Francisco Soler était un ami et co-éditeur du magazine artistique *Arte Joven*, fondé à Madrid en 1901. Cependant, à de nombreuses reprises, Soler était prêt à confectionner les complets de Picasso en échange de peintures, parmi lesquelles ce cercle de famille qui rappelle, par son réalisme, les portraits de groupe de Gustave Courbet ; son sous-titre évoque l'influence des maîtres modernes tels que Manet et Monet. Dans ce tableau, l'arrière-plan a subi plusieurs transformations : Picasso le laissa dépouillé, et un ami inconnu peignit un bosquet d'arbres encerclant la famille. Environ dix ans plus tard, Kahnweiler fit l'acquisition du tableau, et Picasso en le revoyant, trouva à redire à propos de l'arrière-plan, et décida de le repeindre. Il ne fut pas satisfait de sa première tentative à recouvrir les arbres de rythmes cubistes, et en dernier lieu, il peignit un arrière-plan uniforme.

En 1904, Picasso partit enfin vivre à Paris, et s'installa à Montmartre dans un lieu surnommé le Bateau-Lavoir. Dans l'ambiance la plus bohème de Paris, entouré de ses amis et à présent de sa maîtresse, Fernande Olivier, Picasso s'écarta des thèmes pessimistes, et des silhouettes affaiblies de la Période Bleue, qui commençaient pourtant à se vendre, en particulier aux collectionneurs comme Steins, Wilhelm Uhde et le Russe, Shchukine.

Des scènes de la vie du cirque, et des personnages comme Arlequin (dont l'origine se situe dans la commedia dell'arte italienne, et pour lequel Picasso a une préférence) trouvèrent leur expression dans ses peintures. Les tons à dominante bleue de l'année précédente firent place aux tons plus chauds des ocres, des roses et des gris. Les personnages sont à présent travaillés comme des statues et leurs gestes sont stylisés. A cette époque, Picasso se rendait souvent au Louvre et se familiarisait avec l'art grecque, étrusque et égyptien : la pose du personnage de *La Femme à la chemise* (1905) évoque les bas-reliefs égyptiens. Ce classicisme et cette simplification de la forme, qu'il venait de découvrir apparaissent nettement dans *La Coiffure* (1906), apportant un avant-goût de la période classique qui suivra, et plus tard encore lorsque le procédé du miroir réapparaîtra fréquemment.

En 1905, Picasso se rendit brièvement en Hollande et passa l'été 1906 à Gosol, dans les Pyrénées. Cette visite devait apporter une inspiration nouvelle à sa palette, la limitant aux ocres et aux roses. Durant son séjour à Gosol, il peignit de nombreux portraits et plusieurs études de paysans espagnols. En chemin, Picasso s'arrêta pour rendre visite à sa famille à Barcelone et vraisemblablement se remémora les traditions artistiques de sa région natale. Cependant, le plus important pour lui fut la découverte de la sculpture ibérique datant de l'époque préromaine. Les exemples des sculptures issues des fouilles à Osuna, acquises par le musée du Louvre, montrèrent des proportions peu conformistes et le mépris du raffinement et bénéficièrent d'une place importante dans son propre travail, et sa recherche dans les distorsions sculpturales de ses nus, à son retour à Paris en 1906. Le début du traitement sculptural des personnages est une étape cruciale dans son évolution artistique. Il marque tout d'abord sa maturité artistique, et en second lieu, il sème les graines de la démarche cubiste et indique un retour aux thèmes et sources méditerranéens.

Dans *Gertrude Stein* (1906), comme dans *Autoportrait* (1906), illustrés en page 7, à la veille de la naissance du cubisme, les deux visages sont traités comme une série de formes géométriques proches, dépourvues de tout caractère personnel. Ce degré de schématisation marque la dernière étape avant l'œuvre majeure des *Demoiselles d'Avignon* (1907). Il est seulement nécessaire de comparer les deux autoportraits de 1901 et 1906 pour s'apercevoir de l'évolution du style.

Femme devant le miroir (La Loge),
1900, pastel sur papier
48x53 cm
Musée Picasso, Barcelone

(page 28)
Autoportrait,
1901, huile sur toile
79x60 cm
Musée Picasso, Paris

(page 29)
Sabartés en "poète décadent",
1900, fusain et aquarelle sur papier
48x32 cm
Musée Picasso, Barcelone

Amants dans la rue,
1900, pastel sur papier
59x35 cm
Musée Picasso, Barcelone

Le Verre bleu,
1903, huile sur toile
66,1x28,5 cm
Musée Picasso, Barcelone

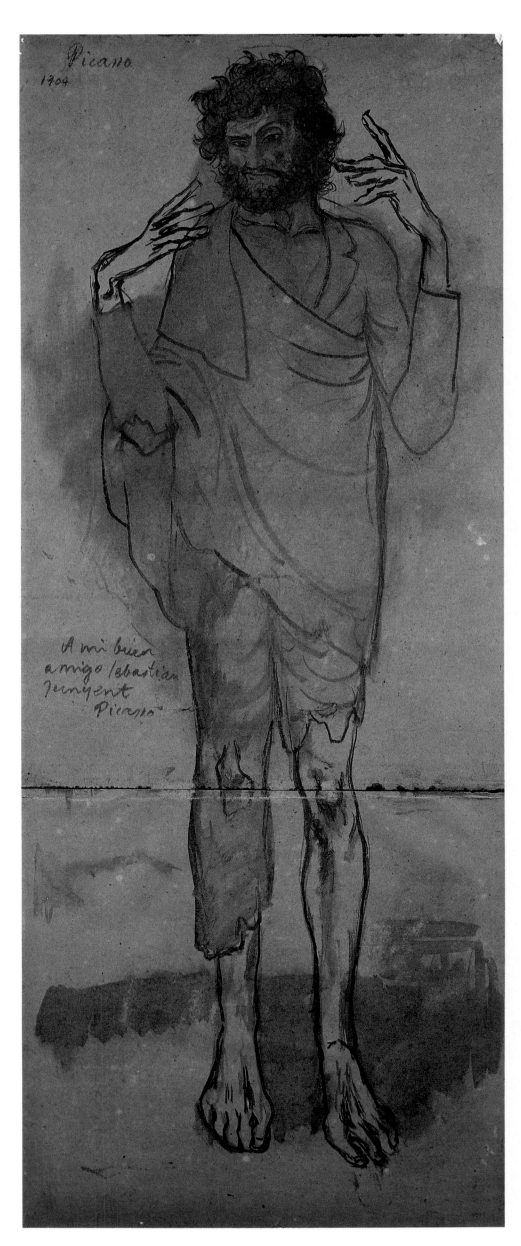

Le Fou,
1904, aquarelle bleue sur papier d'emballage
86x36 cm
Musée Picasso, Barcelone

Salon del Prado,
1897, huile sur bois
10x15,5 cm
Musée Picasso, Barcelone

Enfant au pigeon
1901, huile sur toile
73x54 cm
Don anonyme à la National Gallery, Londres

Le Repas de l'aveugle,

1903, huile sur toile
95x94,6 cm
The Metropolitan Museum of Art
Don de M. et Mme Ira Haupt, 1950

Les Pauvres au bord de la mer,

1903, huile sur bois
105,4x69 cm
National Gallery of Art, Washington Collection Chester Dale

La Mort de Casagemas,
1901, huile sur bois
27x35 cm
Musée Picasso, Paris

L'Acteur,

1905, huile sur toile
194x112 cm
The Metropolitan Museum of Art
Don de Thelma Chrysler Foy, 1952

Artiste et enfant du cirque,

1905, dessin pastel sur papier
16,8x10,5 cm
Tate Gallery, Londres

La Famille Soler (Le Déjeuner sur l'herbe),

1903, huile sur toile
150x200 cm
Musée des Beaux-Arts, Liège

Les Deux frères,

Eté 1906, gouache sur carton
80x59 cm
Musée Picasso, Paris

43

La Coiffure,
1906, huile sur toile
174,8x99,7 cm
The Metropolitan Museum
of Art
Wolf Fund, 1951 du Musée
d'Art Moderne
Don anonyme

Gertrude Stein,

1906, huile sur toile
99,7x81,3 cm
The Metropolitan Museum of Art
Legs de Gertrude Stein, 1946

Femme à la chemise,

1905, huile sur toile
72,7x60 cm
Tate Gallery, Londres

**Femme de l'île de Majorque,
(Esquisse pour 'Les Bateleurs')**

1905, gouache sur carton
75x51 cm
Musée Pouchkine, Moscou

LA
PERIODE
CLASSIQUE

Toute tentative pour classer le travail de Picasso dans un ordre chronologique, dans des catégories de techniques, de moyens d'expressions ou de thèmes, pose immédiatement des difficultés. Dans la période 1907 à 1925, Picasso travaillait dans une variété de styles qui se recoupaient fréquemment et s'interchangeaient. Avant que toute analyse de l'œuvre cubiste puisse être faite, il est essentiel d'avoir une compréhension des autres courants qui traversent son œuvre.

Pendant l'été 1906, Picasso rencontra Matisse chez Léo et Gertrude Stein. Matisse avait été unanimement reconnu comme étant le chef de file des Fauves - "Les bêtes sauvages" - et sa toile *La Joie de vivre* avait été exposée ce printemps-là au Salon des Refusés. Bien que Picasso admirât le travail de Matisse et de ses autres confrères, tels que Derain et Braque, la tendance fauviste qui consistait à accorder seulement de l'importance à la couleur, ne l'attirait pas. Lorsque Matisse commença à s'écarter des Fauves, sa conception des éléments principaux d'une peinture influença beaucoup de peintres, y compris Picasso. Matisse pensait que les couleurs devaient être pures et équivalentes à la lumière, et que l'espace ne devait pas nécessairement être obtenu par la perspective classique, mais par l'agencement des couleurs ; la surface et les contours devaient être clairs et simples, et la peinture devait surtout être un objet en lui-même - la peinture est semblable à la nature et cela implique de rompre avec le subjectivisme et l'expressionnisme romantiques.

Le travail de Cézanne marqua cependant davantage Picasso - en particulier les efforts de Cézanne pour découvrir des façons d'interpréter la forme et les bases géométriques de ses compositions. Au cours de ces années, Picasso fit la "découverte" d'Henri Rousseau, appelé 'le Douanier' après qu'il en ait exercé la fonction. Rousseau était un peintre autodidacte "du dimanche" dont le style naïf avait été tourné en ridicule par le salon officiel, mais qui avait trouvé des admirateurs parmi ses contemporains pour ses valeurs justes et la richesse de ses couleurs. La vitalité de Rousseau coïncidait au désir qu'avait Picasso de rechercher de nouvelles formes d'expression. En novembre 1908, Picasso organisa même un banquet au Bateau-Lavoir en son honneur.

Ces années furent particulièrement marquées par l'influence de l'art primitif importé des colonies françaises d'Afrique et des mers du Sud. Ces styles qui avaient d'abord été considérés avec mépris comme barbares, manquant de raffinement et reniés en tant qu'art, furent à ce moment-là reconnus par beaucoup d'artistes, Matisse, Derain, Braque, et même Picasso, comme puissamment expressifs. Les changements consécutifs dans l'art de Picasso, en rapport avec les influences de l'art primitif, seront traités dans le chapitre suivant. Ce qui nous intéresse ici, c'est le style qui était en cours à cette époque, en même temps que la recherche cubiste, la phase dite classique de l'œuvre de Picasso, entre 1917 et 1925. Il est important de replacer cette période dans le contexte du climat artistique de l'Europe de l'après-guerre, ainsi que par rapport au vécu personnel de l'artiste. Le climat idéologique de l'après-guerre prôna naturellement un retour à la normalité - aux thèmes classiques mettant en valeur l'ordre, l'harmonie et l'équilibre. Beaucoup d'écrivains et d'artistes revinrent à cette époque aux thèmes classiques, découvrant une fois de plus que les dilemmes historiques étaient les mêmes que ceux de la période actuelle.

Le style classique de Picasso s'appuie aussi jusqu'à un certain point sur sa nouvelle manière de vivre. Pendant ces années, Picasso souffrat de la séparation d'avec ses amis, et de la mort d'Eva Gouel. Au printemps 1917, Jean Cocteau le persuada d'aller à Rome et de dessiner les décors pour le ballet *Parade*. Ce voyage mit Picasso en contact avec le classicisme de la ville, et réveilla son intérêt pour les personnages de la commedia dell'arte - Pierrot et Arlequin apparaîtront dans plusieurs peintures de 1918 à 1925, et élargit le cercle de ses relations. Il y rencontra Olga Koklova qu'il épousa l'année suivante.

A son retour à Paris, le travail de Picasso fit fréquemment référence à des sujets classiques, et des toiles comme *Portrait d'Olga dans un fauteuil* (automne 1917) révèlent son talent pour la peinture figurative. Cette toile rappelle en particulier le portrait d'Ingres de *Madame Inès Moitessier* (1856) posant, détail réaliste même dans le regard évasif et lointain. L'intérêt de l'œuvre d'Ingres est démontré clairement dans *les Baigneurs* (Eté 1918) ; les personnages sont tordus, déformés et allongés, et ont été perçus comme une paraphrase de l'étude classique d'Ingres, *Le Bain turc*. Ce retour au passé comporte aussi des références aux maîtres français modernes, tels que dans le pointilliste *Manola à la technique pointilliste* (1917) où, à la manière du post-impressionniste Seurat, la peinture n'est pas prémélangée sur la palette, mais des éclaboussures de couleurs sont juxtaposées sur la toile, et les couleurs se mélangent dans le regard du spectateur. Le personnage de la femme assise fut souvent une source d'inspiration, et pendant la période classique, il y eut de nombreuses versions de ce sujet, utilisant une grande variété de techniques, mais exprimant toujours un sentiment d'immobilité éternelle. Des séjours sur la Côte d'Azur ont fourni à Picasso des thèmes d'inspiration, en particulier ceux de baigneurs et de nus. Des études de nus complétèrent celles qu'il avait faites de danseurs de ballets russes, mais les proportions gigantesques de ses personnages, comme dans *Deux femmes courant sur la plage* (*la Course*), (été 1922) appartiennent à l'art statuaire romain. Cette gouache a servi de modèle au rideau du *Train bleu*, un ballet de Cocteau, avec une musique composée par Milhaud.

La Flûte de Pan (été 1923) et les *Trois femmes à la fontaine* (Eté 1921) sont reconnus comme étant les chefs d'œuvre de cette période. Ces peintures incarnent les canons de la beauté classique, et quelque soient les dimensions des toiles, les personnages semblent toujours avoir des proportions gigantesques.

En 1921, Olga donna naissance à un fils, Paulo. *Famille au bord de la mer* (été 1922) a été perçu comme représentant l'arrivée de la paternité et de la vie familiale, souvent appelée sa "seconde période rose". Pendant ces années , Arlequin et Pierrot réapparaissent. Cette fois, Paul est le modèle et les tableaux représentent quelques uns des portraits les plus connus de ses enfants. Ces œuvres montrent la variété des techniques utilisées par picasso - huile, fusain, sanguines, gouache - sur une grande diversité de supports qui mettent en valeur ses méthodes de travail.

Manola à la technique pointilliste,
1917, huile sur toile
118x89 cm
Musée Picasso, Barcelone

Portrait d'Olga dans un fauteuil,
Automne 1917, huile sur toile
130x88,8 cm
Musée Picasso, Paris

Pierrot assis,

1918, huile sur toile
93,3x74,3 cm
Musée d'Art Moderne, New York

54

Saltimbanque aux bras croisés,

1923, huile sur toile
Collection Privée

Femme au chapeau,
1921 fusain et pastel sur toile
130x97 cm
Musée Picasso, Paris

Trois femmes à la fontaine,

Eté 1921, sanguine sur toile
200x161 cm
Musée Picasso, Paris

Les Baigneuses,
Eté 1918, huile sur toile
27x22 cm
Musée Picasso, Paris

Deux femmes courant sur la plage (La Course),

Eté 1922, gouache sur contreplaqué
32,5x41,1 cm
Musée Picasso, Paris

Nature morte au pichet et aux pommes,
1919, huile sur toile
65x43 cm
Musée Picasso, Paris

Femme en blanc,

1923, huile sur toile
99x79,2 cm
The Metropolitan Museum of Art, Rogers Fund, 1951 du musée d'Art Moderne,
Collection Lillie P. Bliss

Femme assise en chemise,

1923, huile sur toile
92,1x73 cm
Tate Gallery, Londres

La Flûte de Pan,

Eté 1923, huile sur toile
205x174 cm
Musée Picasso, Paris

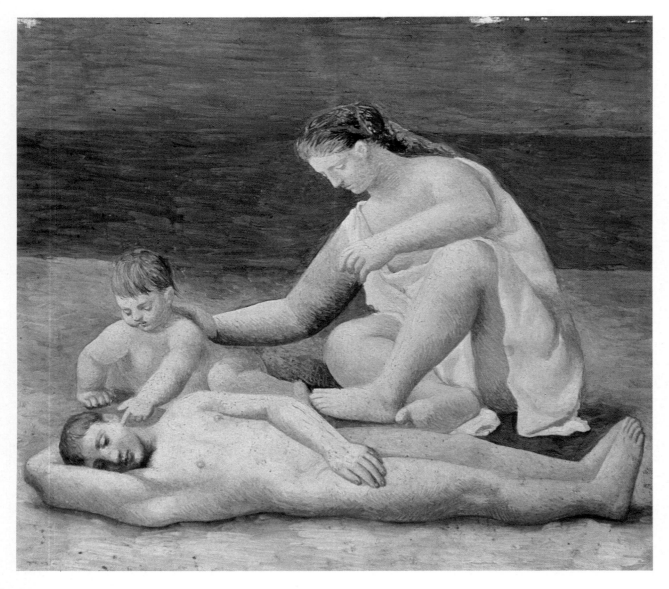

Famille au bord de la mer,
Eté 1922, huile sur panneau de bois
17,6x20,2 cm
Musée Picasso, Paris

(p. 66)
Paul en Arlequin,
1924, huile sur toile
132x98,4 cm
Musée Picasso, Paris

(p. 67)
Paul en Pierrot,
28 février 1925, huile sur toile
130x97 cm
Musée Picasso, Paris

Arlequin au miroir,

1923, huile sur toile
100,3x81,3 cm
Collection Thyssen-Bornemisza, Lugano

CUBISME
ANALYTIQUE

La recherche de formes d'expressions plus puissantes a conduit Picasso à explorer, à côté des formes d'art classique, les sources d'art les plus primitives. La peinture majeure de cette période est sans aucun doute *Les Demoiselles d'Avignon* (1907) qui expose toutes les sources d'art dont Picasso s'est servi pour dessiner. Les couleurs décoratives sont issues de Gauguin, et dans les formes anguleuses et allongées, on retrouve des éléments inspirés de peintures de vases grecs, de sculptures archaïques (égyptienne et africaine), aussi bien que des références directes à l'art préromain ibérique dans la façon de traiter les têtes des deux personnages centraux.

L'utilisation de ces éléments expressifs et primitifs nécessite cependant une nouvelle structure picturale. En 1907, l'année de l'exposition en l'honneur de Cézanne, Picasso avait appris les leçons formelles de l'artiste. On peut noter cependant que le tableau *Les Demoiselles d'Avignon* n'est pas réellement une peinture cubiste. Le sujet, avec ses teintes érotiques - à l'origine, le tableau devait comprendre les personnages de deux marins et la technique picturale était aussi éloignée de l'esthétique cubiste : le cubisme est un art formaliste, s'intéressant au réexamen et à la réinvention des formes. Toutefois, *Les Demoiselles d'Avignon* annonce la discipline géométrique du cubisme.

La composition des *Demoiselles* est encore influencée par Cézanne, en particulier ses *Grandes baigneuses*, qui utilise également un champ réduit de vision de peinture. L'apparence générale des *Demoiselles* est encore proche de la composition classique figurative, mais c'est dans le traitement des détails que se produit la rupture avec les normes traditionnelles. Dans sa révolte contre l'impressionnisme, Picasso est allé plus loin que les Fauves dans l'emploi de formes violentes d'expression. Ses amis, y compris Matisse, Braque et Derain à qui il montra le tableau le condamnèrent unanimement. Kahnweiler se souvient que "la peinture qu'il avait faite les avait tous frappés, comme quelque chose de fou ou de monstrueux". Braque déclara que selon lui, on aurait dit que quelqu'un avait bu du pétrole et commencé à cracher du feu, et Derain avait dit lui-même que Picasso finirait par se pendre derrière la toile, tellement l'entreprise était vaine. Mais Picasso ne fut pas découragé par cette critique. Comme il le dira quelques quarante années plus tard : "la peinture n'est pas faite pour décorer les appartements. C'est un instrument de guerre, pour l'attaque et la défense."

En 1909, Picasso et Fernande Olivier visitèrent l'Espagne pour voir les parents de Picasso, et son vieil ami Pallarès à Barcelone ; de là, ils se rendirent à Horta de Ebro où Picasso avait séjourné onze ans plus tôt. Il y travailla sur une série de paysages dans lesquels le nouveau concept de forme cubiste fut parachevé. Dans ces œuvres, se trouvent mélangés les principes dérivés de l'art africain - la façon dont les sculpteurs africains avaient utilisé le positif imbriqué (masses et formes) avec le négatif (creux et espaces) - et les leçons apprises de Cézanne, manifestés dans le désir de simplifier géométriquement la forme. L'impression de solidité et de volume dans beaucoup d'œuvres de Picasso de cette période est réalisée par la méthode de Cézanne qui consistait à opposer les couleurs chaudes et froides sur des facettes opposées de personnages et d'objets. *Le Danseur nègre* (1907) montre un accent prononcé apporté à la distorsion. Les bras sont traités de manière schématique, la taille du torse est réduite mais les cuisses sont élargies. La tête reste cependant toujours le centre d'intérêt comme dans une étude traditionnelle. L'accent mis sur le volume, traité en monochrome sur un fond uni, devient de plus en plus apparent au cours de ces années, et pour obtenir une conception totale, Picasso commença à "ouvrir" les formes, à tel point que le devant et le dos des sujets dépeints deviennent visibles en même temps. Picasso peignait essentiellement ce qu'il savait être là, plutôt que ce qu'il pourrait voir d'un point fixe. Cela explique la différence entre Picasso et Cézanne qui dessinait ses inspirations à partir des réactions aux objets immédiatement devant lui. Picasso, par opposition, travaillait de plus en plus en fonction de sa propre vision intérieure ; l'art africain lui fournit un art conceptuel qui, de la même façon, n'était pas basé sur des réponses visuelles immédiates à un modèle. En 1907, Picasso rencontra aussi Georges Braque, et ensemble ils commencèrent à systématiser leur peinture. Afin de comprendre la forme et de l'interpréter à deux dimensions, ils durent détruire la forme - la mettre en morceaux. Pour réaliser cela, il fallait imposer certaines restrictions : Picasso et Braque limitèrent leur palette au sepia et au gris, avec seulement des touches intermittentes de couleur. Les règles traditionnelles de perspectives furent complètement abandonnées. Le modelage en ronde bosse montra le chemin des plans plats. Le système de peinture était basé sur une relation étroite entre le sujet dépeint et l'arrière-plan. Le fond et les personnages étaient unifiés ; les facettes se chevauchaient pour donner une apparence de solidité, néanmoins en même temps de translucidité. Les peintures de Picasso devinrent donc de plus en plus éloignées des apparences visuelles normales. Cependant, toutes les peintures cubistes ont comme point de départ un sujet précis, et même dans les travaux les plus "hermétiques", on peut trouver une référence au sujet et au thème original.

Dans *Guitare, brûleur à gaz et bouteille* (1912-1913), les formes de la guitare sont clairement manifestes, comme le sont un verre et la bouteille. La "clé" du contenu du sujet est fournie par le dessin du brûleur à gaz. Bien que ce tableau soit une peinture et non un collage, la technique de papier collé est manifeste dans l'utilisation de surfaces plates qui semblent avoir été collées. Dans cette composition, Picasso introduisit un autre élément structural ; il ajouta du sable à sa peinture, une technique de Braque. Picasso pensait que la texture pouvait différencier les surfaces pour donner l'effet de perspective. Comme avec le sable, Picasso créa des textures en utilisant une simulation de technique pointilliste. Un nouveau progrès fut le retour de la couleur et des surfaces colorées qui donna une impression de profondeur. Le système de progression dans les tons créant des facettes, fit place à la couleur. En 1913, les effets monochromes du début du Cubisme avait été abandonnés et la couleur adopta un nouveau rôle qui n'avait aucun lien avec l'emploi impressionniste de la couleur pour créer l'atmosphère. Fin 1915, Picasso peint une nouvelle version d'un de ses thèmes favoris. Par ses couleurs et sa forme, elle est précurseur de ce qui sera réalisé dans *Les Trois musiciens* (1921) et les natures mortes de 1924-25. *Arlequin* (1915) marque le début de la période appelée parfois la "Période Cristal" - un terme donné par Maurice Raynal - une période où le travail de Picasso est extrêmement organisé et discipliné, associant les couleurs et les surfaces abruptes.

Pendant l'été 1921, alors qu'il était à Fontainebleau, Picasso peignit deux toiles du même sujet et presque de la même taille. Les deux versions des *Trois musiciens* représentent des personnages masqués de fête foraine assis à une table. La composition gigantesque utilise les techniques de cubisme synthétique mais toutefois en peinture - il semble qu'il y ait presque un collage de formes rectilignes colorées. Les personnages doivent leur aspect monumental à leur construction en forme de bloc, soutenu par le contraste tranchant réalisé par les grandes aiguilles. Le sujet qui une fois de plus a ses origines dans la Commedia Dell'Arte est traité ici avec une solennité presque funeste. Cet entrelacement de styles classiques et cubistes caractérisera le travail de Picasso jusqu'à la fin de ses jours. La phase cubiste témoigne de la première expérience de Picasso dans l'utilisation des matériaux de récupération dans ses compositions et ses reliefs en peinture.

En commençant par l'invention du collage, le cubisme développera en peinture le papier collé et la sculpture. Puisque les peintures cubistes devenaient réellement des objets dans leur plein droit, cette tendance conduira Picasso à expérimenter plus loin dans la création de compositions à mi-chemin entre la peinture et la sculpture.

Nu assis (Etude pour les demoiselles d'Avignon),
Hiver 1906-1907, huile sur toile
121x93,5 cm
Musée Picasso, Paris

Danseur nègre,

1907. huile sur toile
63x42,5 cm
Collection Thyssen-Bornemisza, Lugano

Les Demoiselles d'Avignon,

1907, huile sur toile
243,8x233,7 cm
Musée d'Art Moderne, New York
Acquisition par legs Lillie P. Bliss

Guitare, réverbère et bouteille,

1912-13, huile, sable sur toile
70,4x55,3 cm
Scottish National Gallery of Modern Art

Homme à la clarinette,

1911-12, huile sur toile
105x69 cm
Collection Thyssen-bornemisza - Lugano

Homme à la mandoline,
Automne 1911, huile sur toile
162x71 cm
Musée Picasso, Paris

Nature morte, Restaurant,

1914, huile et sciure sur carton
29,5x38 cm
Musée de l'Ermitage, Leningrad

Nature morte avec raisins et poire,
1914, huile sur planche
Collection privée

80

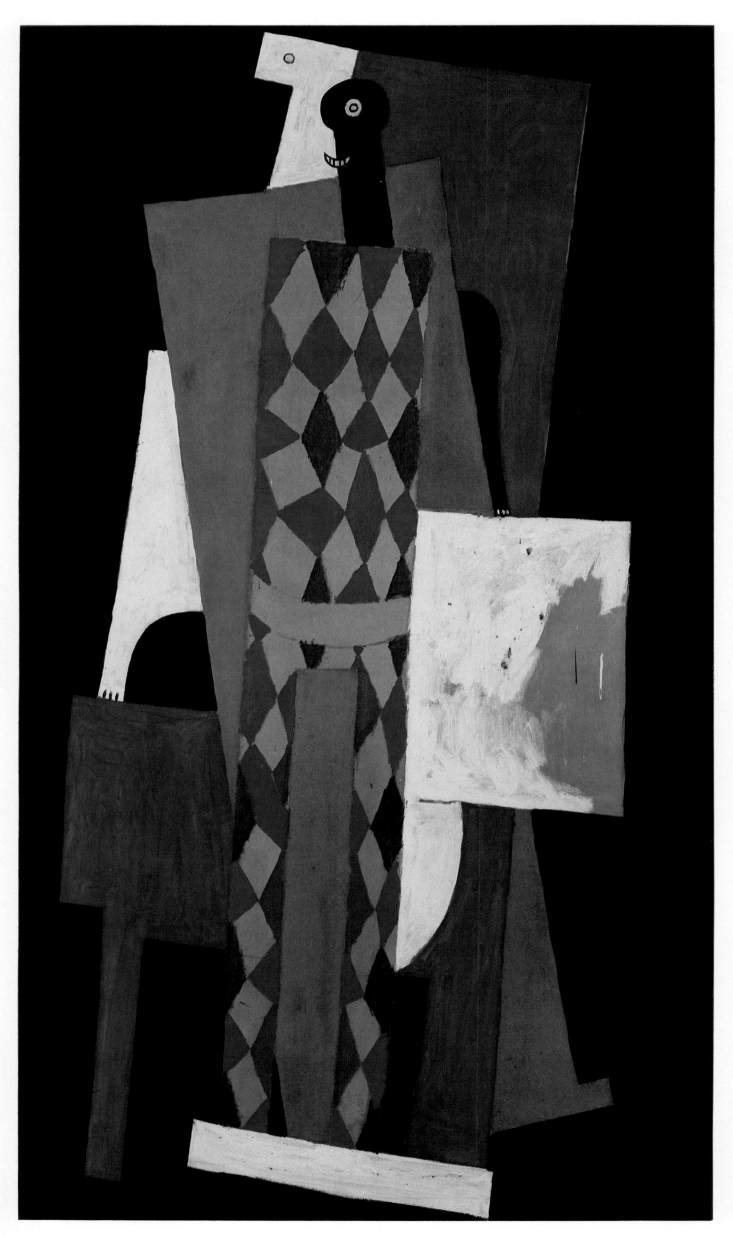

Les Trois musiciens,

1921, huile sur toile
200,7x222,9cm
Musée d'Art Moderne de New York
Mrs Simon Guggenheim

L'Arlequin,

1915, huile sur toile
183,5x105,2 cm
Musée d'Art Moderne de New York
Acquisition par le legs de P. Bliss

Verre, bouquet, guitare et bouteille,
1919, huile sur toile
Collection Privée, Paris

METAMORPHOSES
1925 – 1973

L'influence profonde du classicisme s'est révélée dans l'œuvre de Picasso non seulement dans les personnages et les compositions classiques, mais également dans la pureté et l'harmonie des formes qui étaient imposées dans les œuvres cubistes. L'humeur changea encore une fois en 1925. L'une des principales compositions de cette année, *Les Trois danseurs*, montre des déformations brutales qui n'ont aucun lien avec la sérénité classique de l'œuvre des années précédentes. Beaucoup de critiques jugent ce travail comme symptomatique d'un sentiment général dans l'art européen : les aspirations de l'après-guerre à un nouvel "Age d'Or" avaient disparu. Dans les années qui suivirent, la forme humaine sera dépouillée, non pas par l'analyse minutieuse et la dissection de la forme, comme dans la phase analytique précédente, mais par une nouvelle manière d'expression violente. Extatique, et même hystérique sont les meilleurs qualificatifs du ton des *Trois danseurs*. L'association entre les formes et les couleurs est maniée de telle façon qu'elle suggère la crucifixion. Des éléments de l'absurde sont utilisés ; à droite, une ombre se transforme en portrait classique, tandis qu'à gauche une face de la lune surgit de la chevelure du danseur. De chaque objet ou suggestion de formes une association s'ensuit pour le spectateur.

On a beaucoup parlé de l'association de Picasso avec les Surréalistes. Il n'y a aucun doute que sa fréquentation d'André Breton et sa longue amitié avec Paul Eluard donnèrent naissance à une période créative féconde. L'idée de Picasso que la peinture devait être conceptuelle par opposition à l'art plastique pur, créa un lien entre la poésie et la peinture qui le séduisait beaucoup.

Mais dans l'œuvre de Picasso, les réflexions formalistes ne sont jamais inférieures aux émotions : son désir de traduire les formes sous trois dimensions se poursuivit. Ce qui change ce sont les méthodes, de l'utilisation des surfaces plates aux ombres pour indiquer le volume.

En 1926, Picasso passa aux effets monochrome dans *Le Peintre et son Modèle*, des hachures sont dessinées sur l'arrière-plan, mettant en évidence la surface de la peinture, et suggérant la profondeur. La même technique graphique est également évidente dans sa peinture *Figure et profil* (1928).

A partir de 1926, la relation de l'artiste avec son modèle devint le thème qui passionnait le plus Picasso, et qu'il continua à utiliser dans la série gravures à l'eau forte pour le *Chef d'œuvre inconnu* de Balzac et *La Suite* de Vollard. *Le Baiser* (Eté 1925) ouvrit la voie de la dislocation et de l'exagération de la forme pendant cette période, et cette poussée de violence et d'émotion dans le travail de Picasso, coïncida avec le début des tensions dans sa relation avec Olga.

En 1928 et 1929, Picasso passa l'été à Dinard et produisit une série de toiles sur le thème du bain dont les formes gigantesques suggèrent aussi des statues géantes. Ces années apportèrent aussi de nouvelles variations sur les thèmes de femmes endormies ou éveillées, harmonieuses ou agitées, belles ou terrifiantes. Le personnage féminin en 1931 se développera pour devenir immense, et sera par ailleurs sujet à une transformation avec des associations aux organes génitaux et à la bouche. *Figures au bord de la mer* (12 janvier 1931) montre ces personnages violemment déformés semblant se dévorer entre eux.

Au printemps 1931, un nouveau modèle apparut : pendant les années qui suivirent, Marie-Thérèse Walter sera le modèle de Picasso, sa partenaire dans une longue et malheureuse liaison sentimentale, et la mère de sa fille Maïa. *Grande nature morte au guéridon* (11 mars 1931) était selon Picasso un portrait dissimulé de Marie-Thérèse.

Pour échapper à ses problèmes conjugaux, Picasso installa son atelier au château de Boisgeloup en 1931, et commença à travailler la sculpture, particulièrement sur les œuvres sur pied. L'image de Marie-thérèse sera dominante que ce soit en peinture ou en sculpture. A partir de cette année-là, Picasso utilisa une langue picturale distincte issue de la silhouette de Marie-Thérèse constituée de formes arrondies, de courbes et d'arabesques. Par la suite, Marie-Thérèse fournit l'inspiration pour des travaux basés sur le thème de femmes endormies ou allongées comme dans *Nu couché* (4 avril 1932).

Les toiles réalisées pendant cette période ont un lien étroit avec la sculpture sur laquelle Picasso était en train de travailler. *Femme au Fauteuil Rouge* (27 janvier 1932) et *Femme nue dans un fauteuil rouge* (1932) représentent les équivalents en peinture de ses expériences à trois dimensions.

La Crucifixion (1930) une œuvre majeure de cette période, à la fois par son thème historique avec des accents d'angoisses personnelles et sa complexité formaliste, apporte une variété des techniques utilisées par Picasso. Beaucoup de ses symboles religieux, liés à la mise en croix peuvent être déchiffrés, malgré les modifications d'échelles et les anatomies violemment déformées. Ils apparaissent avec le petit personnage du picador à cheval érigeant sa lance sur le côté du personnage crucifié. Vers la fin de la décennie, les composants du rituel de la tauromachie, apparurent de plus en plus avec les thèmes de mort. En 1932, Picasso revint au thème de la mise en croix dans une série de travaux basés sur le XVIe siècle, Isenheim, Altarpiece de Mathias Grüenwald. Des éléments de ces travaux réapparurent en 1937, dans la grande composition *Guernica*. Les années entre 1934 et 1939 furent agitées pour Picasso, à la fois par les événements de sa vie personnelle et ceux de la vie politique. Ses disputes avec Olga aboutirent à une crise qui se solda par une séparation puis un divorce. Cet événement fut suivi par la naissance de Maïa, la fille qu'il eut de Marie-Thérèse. Pour compliquer encore davantage la situation, en 1936, Paul Eluard le présenta à une autre femme, Dora Maar, une jeune photographe d'origine yougoslave dont le travail était à présent fort apprécié. Le déclenchement de la guerre civile espagnole suivie par la montée du fascisme, et la menace de la guerre mondiale, fournirent les éléments d'une série d'œuvres diverses.

Le cycle de peintures de Marie-Thérèse aux formes arrondies prit fin en 1934. Les arabesques firent place au traitement angulaire et géométrique des formes. Parallèlement aux changements de style, les thèmes évoluèrent : la femme endormie fut remplacée par des femmes lisant et rêvant. Entre le mois de mai 1935 et février 1936, Picasso arrêta de peindre et se mit à écrire des poèmes qui seront publiés par le surréaliste André Breton dans *Cahiers d'Art*. En mai 1936, Picasso vécut en reclus à Juan-les-Pin avec Marie-Thérèse et sa nouvelle fille. Il y recommença à travailler. *Dormeuse aux persiennes* (25 avril 1936) peint peu de temps avant le début de guerre civile espagnole, montre Marie-Thérèse dépeint comme dans une longue plainte, se démarquant de la sérénité de la décennie précédente : son sommeil n'est pas un repos tranquille, mais épuisement et le ton de la composition crée une atmosphère de tristesse.

Les portraits des deux femmes dans sa vie, Marie-Thérèse et Dora, se suivent, mais leur visage ne passe pas sous silence les expressions de violence et de danger. *Femme qui pleure* (1937) est en même temps un symbole de la douleur des femmes espagnoles et un portrait de Dora Maar. Ce portrait est considéré comme un prélude de *Guernica*, comme la majorité des études préliminaires, *Femme qui pleure* fut peinte avec des teintes atténuées ou entièrement en monochrome. Mais dans ce cas, la couleur stridente est utilisée pour rehausser l'expression du visage de la femme. L'expression tourmentée devient encore plus fine lorsqu'elle est mise en contraste avec le chapeau et la robe frivoles. La méthode cubiste avec deux yeux sur le même profil, la qualité transparente du mouchoir et les mains appuyées sur le visage servent tous à renforcer l'impact émotionnel. Incontestablement, la plus célèbre des œuvres de Picasso, *Guernica* (1934)

fut peinte avec une extraordinaire rapidité. L'immense peinture murale que Picasso exécuta pour le Pavillon Espagnol à l'exposition de Paris cette année là fut inspirée par sa colère, lors de la destruction de la capitale basque. Dans cette œuvre, les symboles de la corrida, de la mort rituelle et du désespoir sont rassemblés. Son sens permanent du mépris et de la haine pour le chef des apôtres de la droite espagnole, l'a mené à une série d'eaux fortes pour un pamphlet appelé *Le Songe et le Mensonge de Franco* (1937). Plus tard, ces eaux fortes furent imprimées en cartes postales vendues pour recueillir des fonds pour la cause républicaine.

De nombreuses œuvres de Picasso pendant les années qui précédèrent la Seconde Guerre mondiale, ont un sens prémonitoire. Avec son sentiment accru des menaces de catastrophes, les thèmes de ses œuvres étaient ceux qui lui donnaient la liberté d'exprimer ses émotions. La relation mythique entre l'homme et les animaux a fourni à Picasso les motifs de *Guernica*, mais dans *Chat saisissant un oiseau* (1939), il y a un sens accru de cruauté insensée. Les peintures qui suivirent furent marquées par son désespoir personnel, autant que par son amour pour Dora : beaucoup de ses portraits témoignent d'une tendresse à son égard et à celle de leur fille.

Après la barbarie de Guernica, la situation politique évolua encore dramatiquement, et en 1939, l'Europe fut dévastée par la guerre. Les peintures de Picasso étaient marquées par les événements de l'époque, et bien qu'elle n'y soit jamais représentée, la guerre était toujours présente dans ses œuvres. Les visages et les expressions sont sans cesse déformés, ce qui est souvent considéré comme une paraphrase en termes artistiques des "horreurs de la guerre". Dans *Femme arrangeant ses cheveux* (1940), la solidité monumentale de l'anatomie est augmentée par le coloris plutôt sinistre : le thème traditionnel du nu arrangeant ses cheveux est évoqué jusqu'à donner une inquiétante image. Cette qualité se retrouve à nouveau dans *Femme en vert* (1943) où le personnage assis est un exemple de la capacité de Picasso à traduire une qualité linéaire en une forme à trois dimensions. La spirale qui constitue un des seins fut, selon Picasso, une des premières formes qu'il dessina en tant qu'enfant, de toute évidence parce que c'était comme un "toruella", un gâteau de sucre d'où il fut trouvé.

En dehors des peintures natures mortes morte pleines d'attrait, telles que *Les Soles*, 1940, où une lumière sousmarine enveloppe le poisson, et le paysage *Café à Royan* (1940) peint à partir des "Voiliers", une villa dont Picasso avait loué le premier étage, et qui fut peinte quelques jours avant qu'il retourne à Paris pour le restant de la guerre, son travail est rempli de sentiments de colère. Même les difficultés de vivre sous l'occupation allemande sont exprimées dans une série de natures mortes contenant des crânes de têtes de taureau, où la chair a été écorchée et éclairée par la flamme nue d'une bougie.

Bien que les matériaux soient rares, la production de Picasso pendant la guerre est prodigieuse. En 1943, arriva *Premiers Pas* dans lequel toute crainte sur l'avenir est tempérée par une touche d'humour. La déformation employée dans ce tableau met en valeur les personnages et leurs mouvements, et la relation entre mère et enfant, en termes humains, aussi bien que dans la forme, dévoile une intensité et une innocence.

Comme cela se produit périodiquement tout au long de sa vie, vers la fin de la guerre, Picasso commença à peindre le paysage des environs immédiats. Il a fait plusieurs études des vues de Notre-Dame, les ponts et "quais" de l'Ile de la Cité près de son atelier dans la rue des Grands-Augustins. Dans *Le Square Vert Galant* (25 juin 1943), les formes des arbres dessinés en peinture noire épaisse ressemblent à des vitraux et rappellent les effets de *Fille devant un Miroir* (1932); *Le Square Vert Galant* montre les arbres dans un jardin au bout de l'île et la statue équestre d'Henri IV dont "Vert Galant" est un surnom célèbre.

Les allégories de la guerre continuent et en 1945, un an après qu'il ait rejoint le parti communiste, Picasso peignit *Le Charnier*. Comme *Guernica*, cette peinture était une tentative délibérée de représenter le désastre de la guerre. Evitant l'utilisation des couleurs gênantes, et employant toutes les déformations qui faisaient partie de son vocabulaire de peinture, *le Charnier* se concentre sur les événement effroyables. Contrairement à *Guernica*, il n'y a pas de cris, tout est réduit au silence. Après la libération de Paris, et la fin de la Seconde Guerre mondiale, Picasso retourna sur le bord de la Méditerranée. Avant qu'il quitte Paris, il avait travaillé sur une série de lithographies, dont beaucoup étaient des corridas, et des sujets de natures mortes mortes. Une fois de retour dans le Sud de la France, son humeur changea brusquement et ses peintures devinrent habitées par d'anciens personnages mythologiques.

Il était maintenant avec Françoise Gilot qui donna naissance en 1947 à leur fils Claude et, en 1949, à leur fille Paloma, dont le nom espagnol signifie 'colombe', un des oiseaux et symboles préférés de Picasso. Il y avait maintenant des peintures de ses enfants en train de jouer, de lire, de dormir, de dessiner, comme dans *Deux enfants* (*Claude dessinant avec Paloma*) peint en 1952.

Pendant les années 50, une série d'événements influenceront le style et l'humeur de Picasso : en 1954, la mort de Matisse, le départ de Françoise et l'entrée dans sa vie de Jacqueline Roque, et son déménagement à la villa "Californie". La réaction à la mort de Matisse prit la forme d'un hommage dans une série de peintures de l'atelier de Picasso, et la vue qu'il avait de sa fenêtre aussi bien que les variations basées sur *Femmes d'Alger* de Delacroix. (Delacroix et Matisse avaient pris le thème de "l'Odalisque"). Ce cycle de peintures fournit une grande variété dans la couleur et la composition de chaque toile. Commençant avec les premières formes reconnaissables, elles atteignirent plus tard un état proche de l'idée abstraite en monochrome.

Entre 1950 et 1963, les travaux de Picasso étaient liés aux variations sur les maîtres anciens - Vélasquez - Jacques Louis David, Delacroix et Manet - semés de travaux basés sur ses résidences successives La Californie - Vauvenargues et Mougins.

En Automne 1958, Picasso commença une période de travail dense sur les 58 variations de des Menines de Velasquez. Picasso avait admiré la peinture originale depuis qu'il avait visité pour la première fois Madrid avec son père en 1895. Dans son propre travail, il interpréta la peinture de Vélasquez de nombreuses manières. Il remplaça l'éclairage des ténèbres de la cour royale espagnole par celui de la côte française ; les personnages sont déplacés, les gestes modifiés, et la texture des vêtements et des tissus transformés. En même temps, il introduisit la variante des colombes qui nichaient sur le balcon de son atelier.

La dernière variation sur ce thème fut terminée en juillet 1962 et consistait en 27 peintures, 140 dessins et 3 gravures sur linoléum basés sur *Le Déjeuner sur l'herbe* de Manet.

Une qualité fondamentale espagnole commença à réapparaître dans les œuvres de Picasso plus tard dans sa vie. Comme la corrida redevint populaire en France, les associations directes avec sa terre natale, ranimèrent son amour de l'arène, qu'il exprima dans la peinture *Le Matador* (1970). En parallèle, il y avait le retravail des vieux thèmes, tels que *Peintre et modèle* (1963), et *Le Baiser* (26 octobre 1969) aussi bien que des têtes de femmes peintes avec des couleurs vives.

A son quatre-vingt-dixième anniversaire en 1971, le Louvre à Paris organisa une exposition d'œuvres choisies ; Picasso était le premier artiste vivant à être honoré de cette façon. Jusqu'à sa mort en avril 1973, Picasso continuera non seulement à peindre, mais à dessiner, sculpter et produire des œuvres graphiques, de la même manière qu'il avait toujours travaillé, libre des contraintes imposées par un style et une méthode.

Les Trois danseurs,
1925
huile sur toile
215,3 x 142,2
Tate Gallery, Londres

Esquisse pour Guernica,
1937, crayon et pinceau sur papier
Le Prado, Madrid

Le Baiser,
Eté 1925, huile sur toile
130,5x97,7 cm

(p. 106-107)

Figures au bord de la mer,

12 janvier 1931, huile sur toile
130x195 cm
Musée Picasso, Paris

Figure et Profil,

1928, huile sur toile
72x60 cm
Musée Picasso, Paris

Tête de femme,

1929, huile sur toile
Collection privée

Nu couché,
4 avril 1932, huile sur toile
130x161,7 cm
Musée Picasso, Paris

Femme au fauteuil rouge,
27 janvier 1932, huile sur toile
130,2x97 cm
Musée Picasso, Paris

Grande nature morte au guéridon,
11 mars 1931, huile sur toile
195x130,5 cm
Musée Picasso, Paris

Femme nue dans un fauteuil rouge,
1932, huile sur toile
129,9x97,2 cm
Tate Gallery Londres

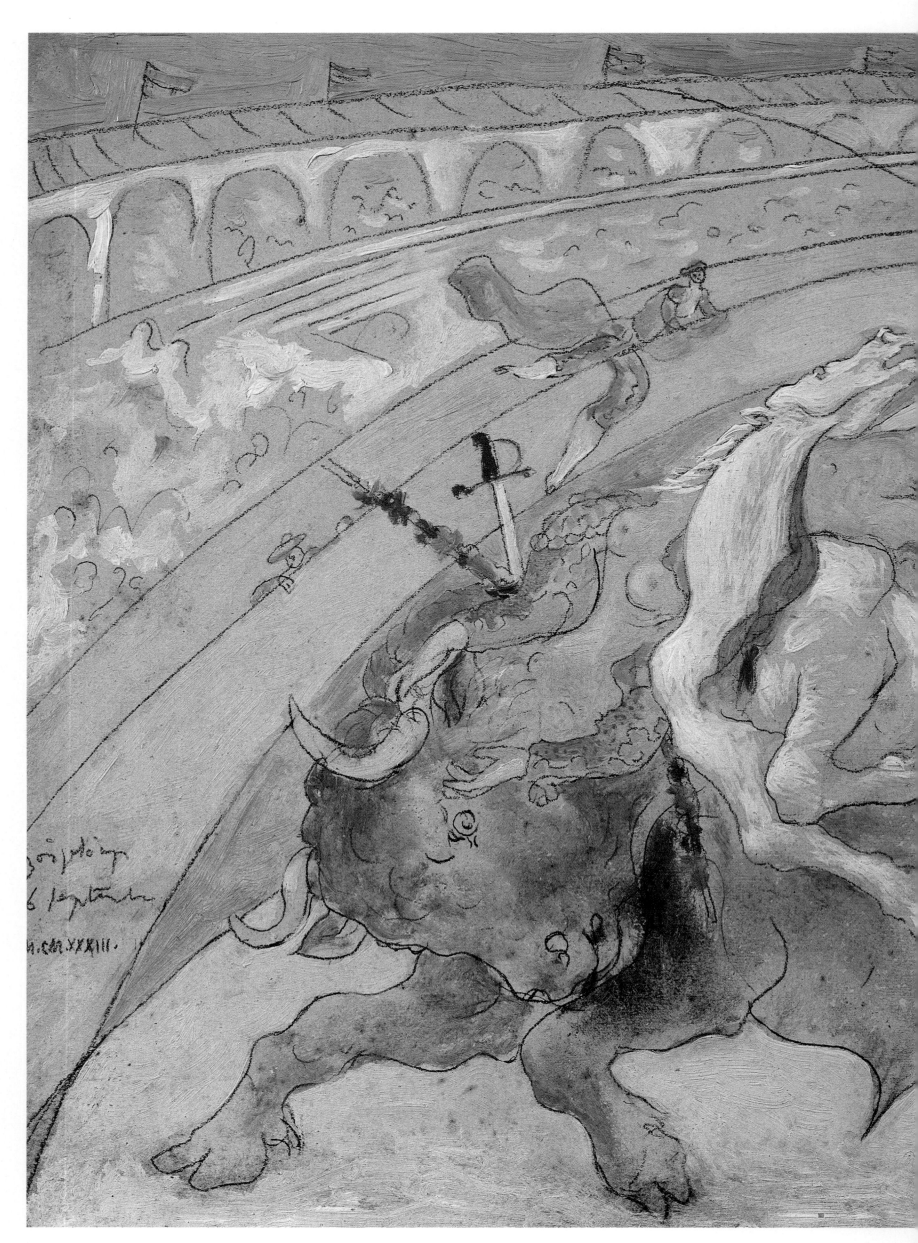

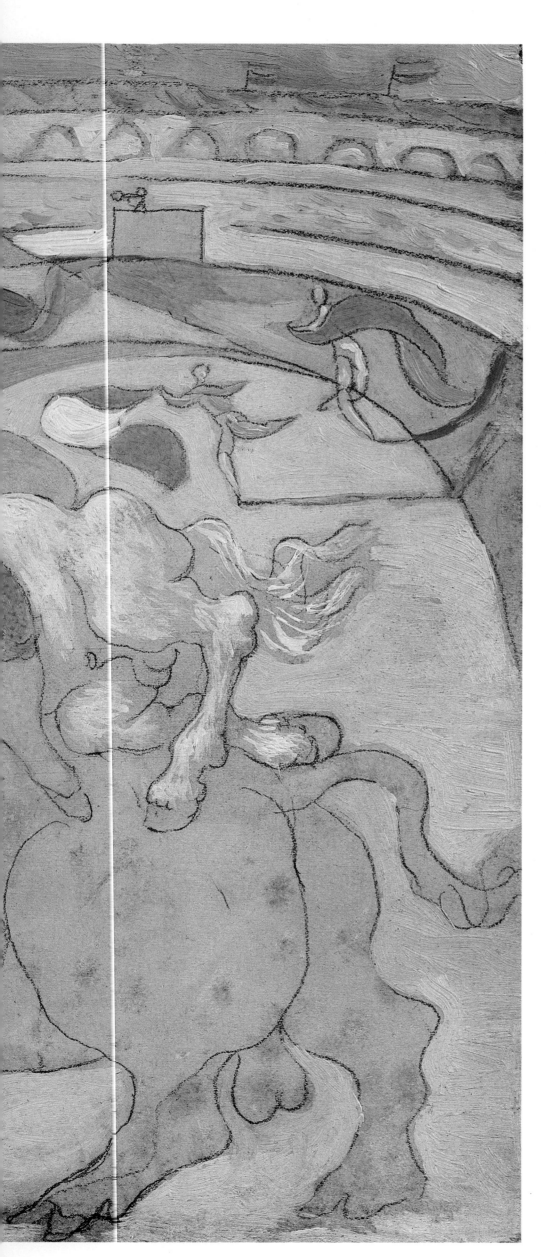

Corrida : la mort de la femme toréro,
6 septembre 1933, huile et crayon sur panneau de bois
21,7x27 cm
Musée Picasso, Paris

La Crucifixion,
7 février 1930, huile sur contre-plaqué
51,5x66,5 cm
Musée Picasso, Paris

116

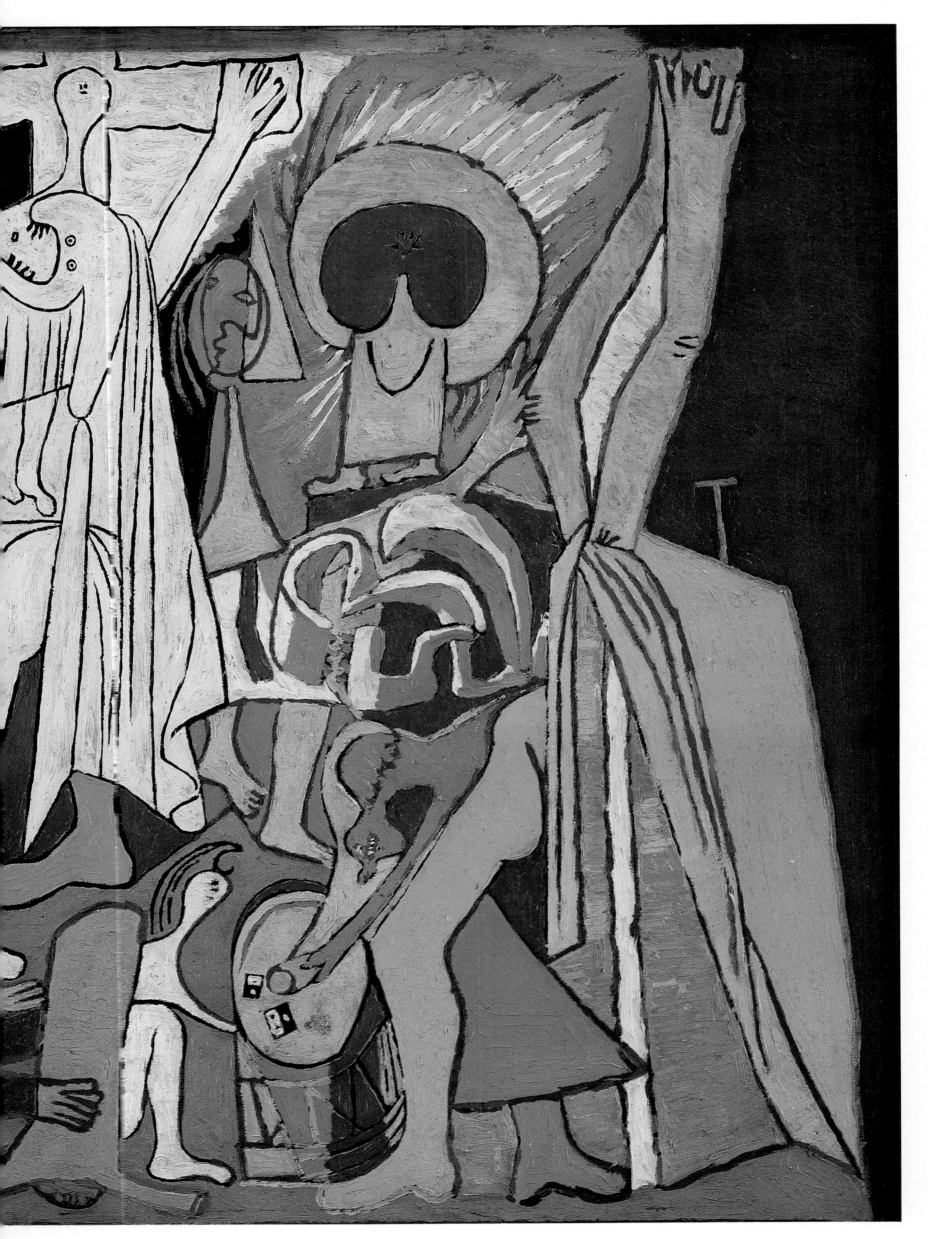

Femme devant un miroir,

14 mars 1932, huile sur toile
162,6x130,2 cm
Musée d'Art Moderne, New York
Don de madame Simon Guggenheim

Plat de poires,
1936, huile sur toile
38,1x61 cm
Tate Gallery Londres

Nu sur la terrasse,

16 juillet 1933, pastel et encre de chine sur papier
40x50,8 cm
Collection privée

Picasso
Cannes 16 juillet XXXIII

121

Dormeuse aux persiennes,
25 avril 1936, huile et fusain sur toile
54,5x65,2 cm
Musée Picasso, Paris

Intérieur avec femme dessinant,

1935, huile sur toile
130,2x194,6 cm
Musée d'Art Moderne, New York legs Nelson A. Rockefeller

Femme qui pleure,
1937, huile sur toile
59,7x48,9 cm
Tate Gallery, Londres

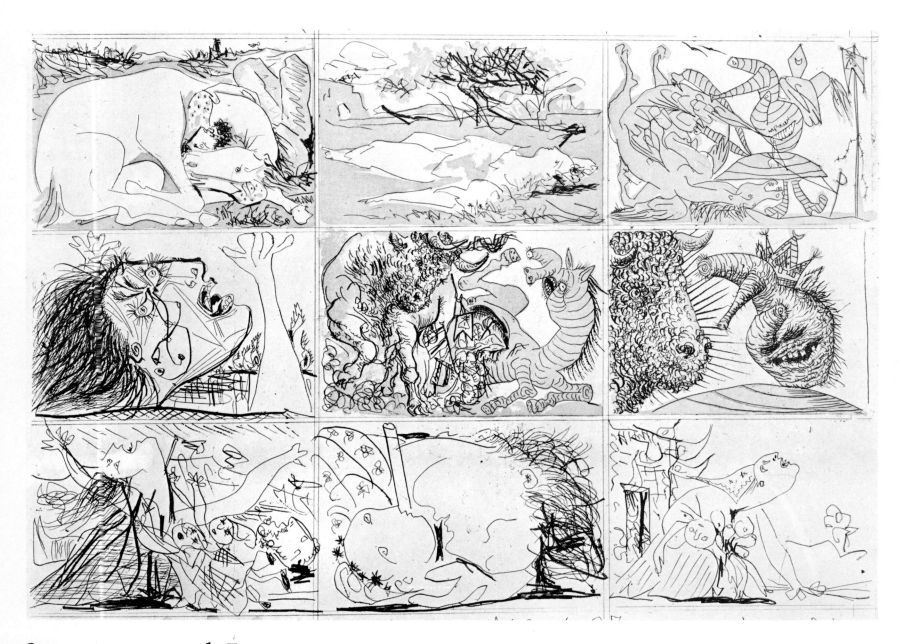

Songe et mensonge de Franco,

Plat II, Etat V
9 janvier - 7 juin 1937, eau-forte et aquatinte imprimé en noir
31,5x41,9 cm
Musée d'Art Moderne, New York
Collection Louis E. Stern

Portrait de Dora Maar,

1936, huile sur toile
65x54 cm
Collection privée, Paris

Dora Maar assise,

1938, pastel, gouache et huile sur papier
68,9x44,5 cm
Tate Gallery, Londres

126

Femme assise devant la fenêtre,

11 mars 1937, huile et pastel sur toile
130x97,3 cm
Musée Picasso, Paris

Portrait ce Dora Maar,

1937, huile sur toile
92x65 cm
Musée Picasso, Paris

Maïa à la poupée,
16 janvier 1938, huile sur toile
73,5x60 cm
Musée Picasso, Paris

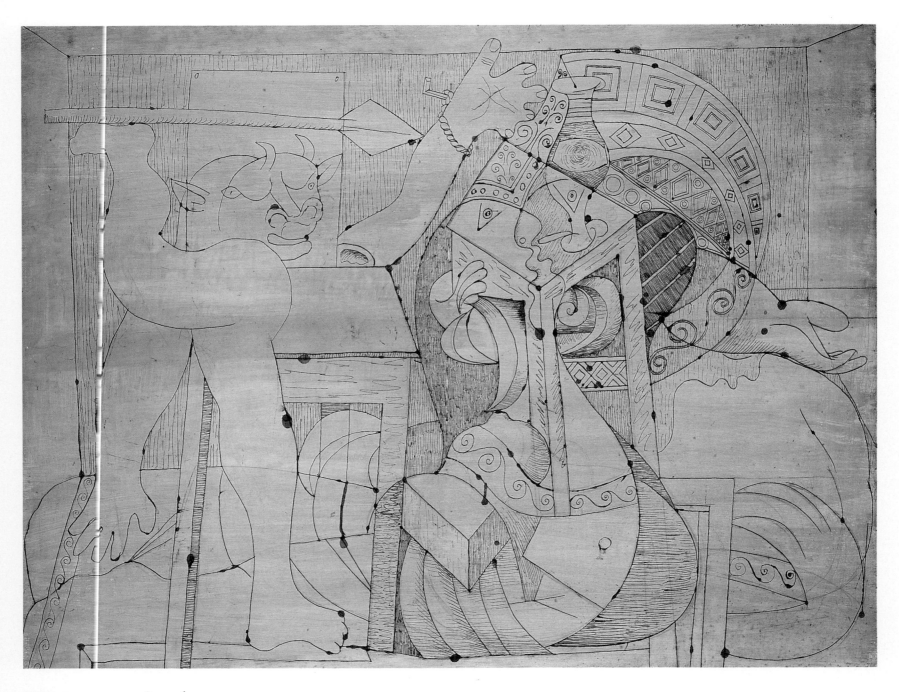

Minotaure au javelot,
25 janvier 1934, encre de Chine sur contreplaqué
97x130 cm
Musée Picasso, Paris

132

Chat saisissant un oiseau,
22 avril 1939, huile sur toile
81x100 cm
Musée Picasso, Paris

Café à Royan,
1940, huile sur toile
97,2x38,7 cm
Musée Picasso, Paris

Femme en vert,

1943, huile sur toile
129,5x96,5 cm
Collection Ciannati Sweeney, New York

Femme arrangeant ses cheveux,

1940, huile sur toile
130,2x96,8 cm
Collection privée

(page 138-139)

Square Vert-Galant,

25 juin 1943, huile sur toile
64,5x92 cm
Musée Picasso, Paris

Crâne de chèvre, bouteille et bougie,

1952, huile sur toile
89,2x116,2 cm
Tate Gallery, Londres

Tête de faune,

1947, gouache
Collection privée

Premiers pas,

1943, huile sur toile
130,2x97,2 cm
Yale University Art Gallery
Don de Stephen C. Clark, B.A. 1903

143

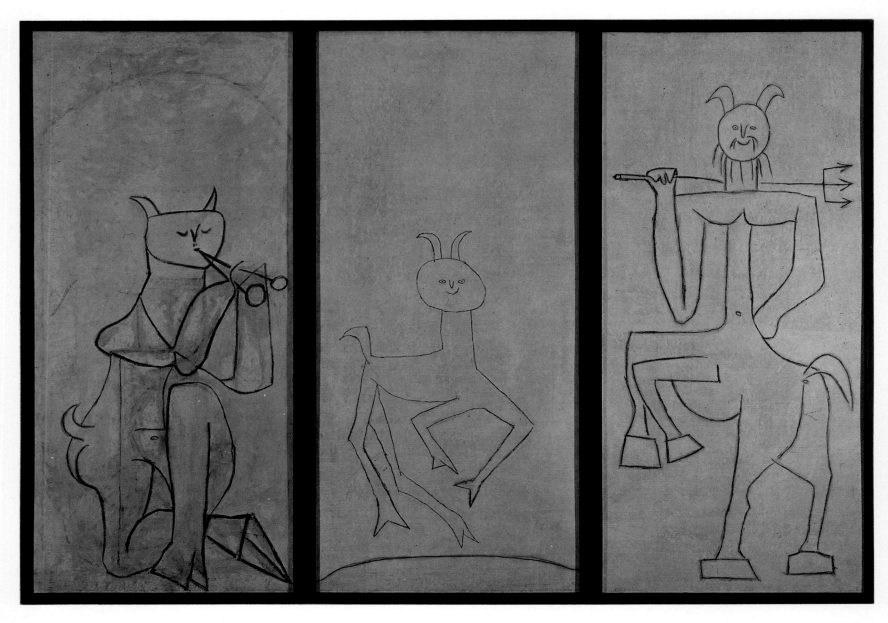

**Triptyque : jeune satyre jouant à la draule,
jeune faune bondissant, centaure au trident,**

1946, dessin à l'huile sur fibrociment
250,8x120 cm
Musée Picasso, Antibes

Hibou bleu,

1947, huile sur toile
123x102 cm
Collection privée

Le Charnier,

1944-5, huile et fusain sur toile
200x250,1 cm
Musée d'Art Moderne, New York
Acquisition par legs de Mme Sam A. Lewisohn (par échange) et
Mme Bernard en mémoire de son mari, Dr Bernard, William
Rubin, et fonds anonymes.

Homard et soda,

1948, huile sur toile
50x65 cm
Musée Van Der Heyt Wuppertal

Deux enfants (Claude dessinant avec Paloma),

1952, huile sur toile
92,1x73 cm
Collection privée

Jacqueline dans un fauteuil à bascule,

1954, huile sur toile
146x114 cm
Collection privée

Faune et nuit étoilée,

1955, huile sur toile
92,7x73,7 cm
The Metropolitan Museum of Art
Legs de Joseph H. Hazen, 1970

Portrait de Sylvette,

1954, huile sur toile
81x65 cm
Collection Herschel Walker, New York

Printemps,

1956, huile sur toile
129,x194,3 cm
Collection privée, Paris

Femmes d'Alger (d'après Delacroix),
14 février 1955, huile sur toile
113,8x146,1 cm
Collection de M. et Mme Victor W. Gaz, New York

Femmes d'Alger (d'après Delacroix),

1 janvier 1955, huile sur toile
194,1x260,1 cm
Musée Picasso, Barcelone

154

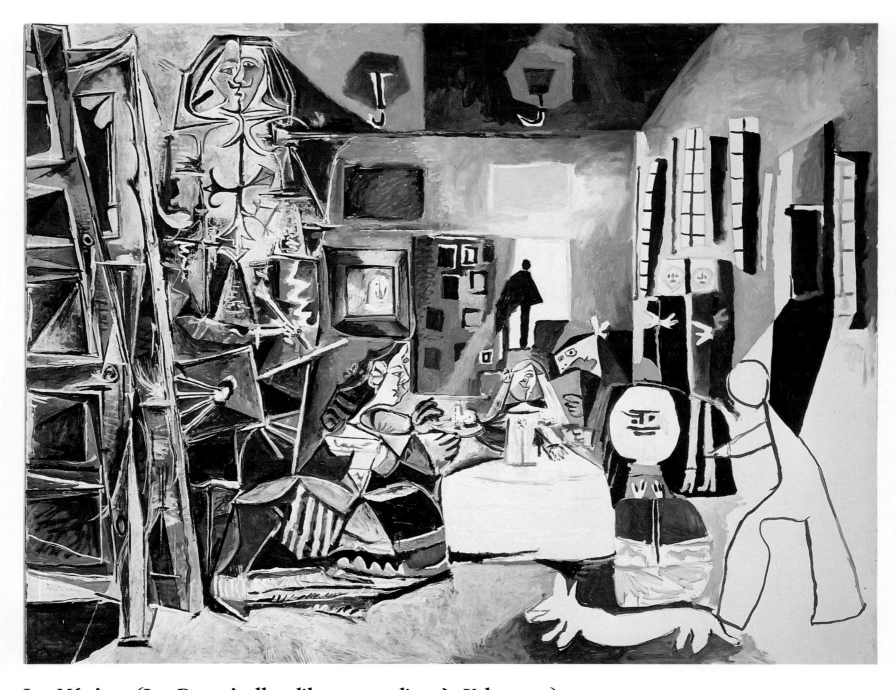

Les Ménines (Les Demoiselles d'honneur, d'après Velasquez),

17 août 1957, huile sur toile
194,1x260,1 cm
Musée Picasso, Barcelone

(p. 158)

Les Ménines (Isabel de Velasco),

30 décembre 1957, huile sur toile
33x24 cm
Musée Picasso, Barcelone

(p. 159)

Les Ménines (ensemble sans Velasquez, ni Mani-Barbola),

17 novembre 1957, huile sur toile
35x27 cm
Musée Picasso, Barcelone

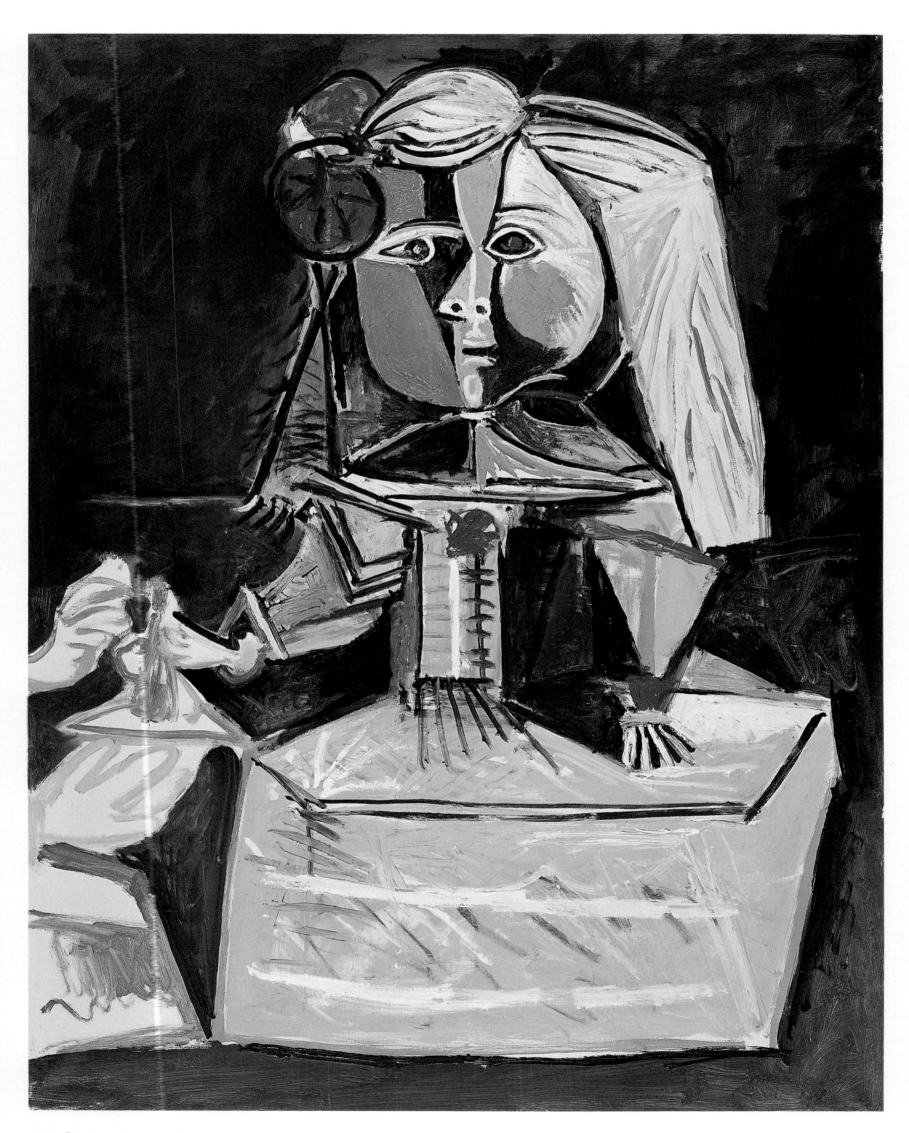

L'Infante Margarita,
1957, huile sur toile
100x81 cm
Musée Picasso, Barcelone

Les Ménines (Les Colombes 1),
6 septembre 1957, huile sur toile
80x100 cm
Musée Picasso, Barcelone

Les Menines (Les Colombes, 6),
12 septembre 1957 huile sur toile
145x113 cm
Musée Picasso, Barcelone

L'Atelier à la Californie,
1956, huile sur toile
73x92,1 cm
Musée Picasso, Paris

L'Enlèvement des Sabines (d'après David),

4 novembre 1962, huile sur toile
97,2x130,2 cm
Musée National d'Art Moderne, Paris

Peintre et modèle,
1970, crayon de couleurs et craie sur carton
21,8x28,2 cm
Collection privée

(p. 166-167)
Le Déjeuner sur l'herbe (d'après Manet),
3 mars - 20 août 1960, huile sur toile
130x195 cm
Musée Picasso, Paris

Scène de cirque,
1967
Collection privée

Nu debout avec mousquetaire assis,

1968, huile sur toile
162x129,5)
Propriété conjointe du Metropolitan Museum of Art, et A.L. Blanche Levine, 1981

171

(p. 170-171)

Peintre et modèle,

1963, huile sur toile
130x195 cm
Collection privée

Le Baiser,

26 octobre 1969, huile sur toile
97x130 cm
Musée Picasso, Paris

Le Matador,
4 octobre 1970, huile sur toile
145,5x114 cm
Musée Picasso, Paris

La Famille,

30 septembre 1970, huile sur toile
162x130 cm
Musée Picasso, Paris

CUBISME SYNTHETIQUE
COLLAGES
RELIEFS PICTURAUX
ET
SCULPTURE

En 1909, le cubisme de Picasso devenait plus abstrait, entrant dans ce qu'on appelait la phase "hermétique", où les détails lisibles devenaient rares. Dans les années qui suivirent, la peinture et la sculpture devinrent liées et interdépendantes : le volume se glissa dans la peinture et les reliefs picturaux, et la peinture était presque toujours présente dans les travaux à trois dimensions.

La période de sculpture de Picasso commença en 1909 avec *Tête de femme (Fernande)*, mais tout comme les reliefs picturaux, la pièce était destinée à être regardée par devant. Seule une œuvre à trois dimensions *Le Verre d'absinthe* (1914) réalisée entièrement en ronde bosse, appartient à la période 1909-1915. Durant ces années, Picasso commença à utiliser les procédés qui enrichiront la qualité tactile de la surface des tableaux, et en même temps, rétablira le réalisme de son approche.

L'utilisation de lettres peintes au pochoir fit une première apparition dans *La Portugaise* de Braque en 1911. L'utilisation d'inscriptions de Picasso est évidente dans de nombreuses peintures de 1912 à 1914, en particulier les mots "Ma Jolie" et "J'aime Eva". Les mots par eux-mêmes font référence à une chanson populaire du moment mais parlent aussi d'Eva Gouel, puis de la maîtresse de Picasso. Les mots, ou fragments de mots, seraient un avant-goût des techniques présentes dans le travail de Picasso aux environs de 1912, lorsque des bandes de papier peint, de journaux et d'autres matériaux seront incorporés aux peintures.

En 1910, Braque commença à introduire dans son travail des éléments irréels tels que : imitation de bois et de marbre, utilisant les techniques de son apprentissage initial de peintre en bâtiment. En partant de là, il n'y avait qu'un pas pour remplacer les morceaux illusionnistes peints, par des objets réels ou morceaux d'objets. En 1912, Picasso commença à employer les techniques de collage ; il utilisa d'abord un objet réel, un morceau de toile cirée collé sur un canevas pour représenter un cannage de chaise - dans *Nature morte à la chaise cannée* (printemps 1912). Au dessus de la chaise sont peints un verre de vin et un citron avec toutes les caractéristiques des premiers procédés analytiques du cubisme. A côté d'eux se trouvent les premières lettres du mot "Journal". Les objets et les matériaux "trouvés" ici forment un lien entre notre perception, et la réalité qui nous est donnée par le travail d'art, puisque les "objets" restent identifiables. C'est Picasso qui est réputé avoir inventé le collage, une technique où les matériaux sont joints sur une surface peinte, tandis que Braque est reconnu comme l'inventeur du papier collé, une forme de collage où le papier est appliqué sur la surface du travail.

En 1912, Picasso et Braque ont passé l'été ensemble à travailler à Sorgues. Après le retour de Picasso à Paris, Braque paraît-il découvre un rouleau de papier peint à motifs de fibres de bois dans un magasin d'Avignon, qui lui révèlera de nouvelles possibilités. Il découpa des morceaux de papier et les colla sur un dessin au fusain pour créer le premier papier collé, *Coupe de fruits et verre*. La façon d'aborder les matériaux de Picasso sera plus audacieuse que celle de Braque qui les utilisait d'une manière essentiellement naturaliste. Pour Braque, le papier imprimé dans une imitation de fibre de bois tendait à être plutôt utilisé pour élaborer des objets en bois. Picasso, d'autre part, transformait des journaux en bouteille, et puisque les morceaux de matériaux qu'il utilisait portaient déjà leur propre identité, il provoqua une confrontation avec les différentes conceptions de la réalité. De plus, en utilisant des objets déjà fabriqués, Picasso démontra que le travail de l'art n'avait plus besoin de s'appuyer sur des techniques ou des matériaux élaborés, rompant ainsi avec la tradition basée sur l'unité des matériaux tout au long du tableau, une tradition instituée depuis la Renaissance. La nouvelle technique de collage et de papier collé a permis à Picasso de travailler rapidement. Il avait appris de son père la technique d'épinglage des découpes (morceaux de papier ou de matériau) appliquée aux peintures comme moyen temporaire d'essayer des idées qui permettraient de varier la position des éléments à l'intérieur des compositions.

Les toiles et les collages structurés de Picasso de 1913 à 1914 sont des exemples du concept cubiste d'images construites séparées de la réalité, dans la mesure où elles ne sont pas des reproductions exactes de la réalité, mais en sont des re-créations. Picasso, s'entretenant avec Françoise Gilot, expliqua que le but des reliefs était de donner l'idée que "différentes textures peuvent entrer dans une composition pour devenir la réalité de la peinture qui rivalise avec la réalité de la nature. Nous avons essayé de nous débarrasser du trompe-l'œil pour trouver le trompe-l'esprit... Si un bout de journal peut devenir une bouteille, c'est qu'il y a matière à penser à propos des journaux et des bouteilles. L'objet déplacé est entré dans un univers pour lequel il n'est pas destiné, et où il conserve dans une certaine mesure son étrangeté. Et cette étrangeté était ce à quoi nous voulons que les gens pensent."

L'autre évolution fut le retour à la couleur, ou plutôt aux surfaces colorées, qui donnent une sensation de profondeur. Les premières techniques de gradations de tons monochromes disparaissent pour céder la place aux zones simples, plates, clairement définies de couleurs et aux plans structurés. Les textures pouvaient aussi être utilisées pour différencier les zones qui dans certains cas furent créées en ajoutant du sable, avec la "technique" pointilliste. Les peintures de Picasso étaient devenues à présent des "objets" qui l'ont conduit à expérimenter les constructions en relief à mi-chemin entre la peinture et la sculpture.

A proprement parler, les reliefs ne sont pas des peintures puisqu'ils s'étendent dans l'espace. Cependant, ils reposent sur des supports de toile, de carton, de bois ou de papier que l'on a peint. La peinture dans les reliefs est souvent un trait dominant qui maintient ensemble les compositions. Picasso explora toutes les techniques, et utilisa une variété de matériaux tels que ficelle, boîte en fer, ongles, boîtes à cigares, et même papillons, comme dans *Composition avec un papillon* (15 septembre 1932). Souvent les matériaux sont utilisés pour dépeindre les objets les plus ordinaires. De nombreux reliefs et sculptures utilisent ces restants de matériaux recyclés convertis en natures mortes. *Violon* (1913-1914) utilise une boîte en carton, tandis que *Mandoline et clarinette* (automne 1913) est constitué en partie d'éléments en bois peints. Pendant l'été 1928, Picasso travaillait à l'atelier de Julio Gonzales, qui avait été un ami depuis le début du siècle à Barcelone ; Gonzales offrit à Picasso l'aide professionnelle, les matériaux et les compétences pour pouvoir expérimenter la sculpture. Là, Picasso introduisit le fer dans son travail, des morceaux de matériaux rares, et des découpes de tôle qui seront soudés et peints.

Picasso acheta le château de Boisgeloup en juin 1930, et partit y vivre en mai l'année suivante. Son intérêt pour la sculpture se poursuivit et il revint au modelage, ce qui se termina par une série de têtes de grande taille. Dans celles-ci, Picasso choisit les traits du visage, comme les yeux, et le nez et les rassembla dans une série de courbes et de formes arrondies. La période de Boisgeloup vit la sculpture comme principale production de l'atelier de Picasso, à tel point qu'elle fournissait aussi le sujet de nombreuses peintures.

La sculpture *L'Homme au mouton* fut produite à l'origine comme un modèle de terre dans le grand atelier de la rue des Grands-Augustins à Paris en 1943. Bien que les matériaux fussent rares durant les années de guerre, Picasso maintint une production régulière de travaux à deux ou trois dimensions. *L'Homme au mouton* sera finalement coulé dans le bronze et érigé sur la place principale de Vallauris.

A Vallauris Picasso lança une nouvelle approche du traitement de l'espace au moyen de plans comme ce qu'il avait commencé avec *Tête de femme* (*Fernande*). Pendant les années 50 et 60, la tôle était coupée, pliée, assemblée et montée sur place. Les résultats de cette approche sont visibles dans *Le Footballer* (printemps 1961) qui s'élève à 0,50 mètre. Une maquette, ou modèle de papier était réalisée en dessinant, coupant, et en créant une forme par le pliage. Pour les pièces en métal, l'assistance et le conseil technique étaient donnés par Lionel Prejger. En 1960, Picasso visita l'usine de Prejger qui produisait des tuyaux par un procédé de pliage.

C'est à Vallauris que Picasso se tourna un peu plus tôt vers un nouveau matériau, la terre-cuite ou non. Pendant l'été 1946, Picasso était à Golfe-Juan, lorsqu'il rencontra Georges et Suzanne Ramié qui dirigeaient les ateliers Madoura, une petite fabrique de céramique. Après avoir visité la fabrique et modelé quelques sujets, Picasso commença à faire des croquis comme modèles de poterie. Son intérêt pour la céramique était de plus en plus grand en 1948, lorsqu'il s'installa à Vallauris, un centre de production de céramiques depuis l'époque romaine. Beaucoup de pièces fabriquées par Picasso étaient des plats, assiettes, cruches et vases traditionnels. Il pouvait dans certains cas transformer sa poterie en sculpture, avec des travaux comme Tanagras, ainsi dénommé à cause de leur ressemblance avec les statuettes classiques, petits sujets qui prirent naissance en tant que bouteilles ou vases, grosses têtes et un grand nombre de figurines de faunes helléniques, de nymphes et de joueurs de flûtes. De nouvelles difficultés survinrent avec la couleur. Lorsque la poterie est cuite, les couleurs sont transformées. Avec son zèle caractéristique, Picasso commença à expérimenter les engobes (couleurs contenues dans la terre délayée) et divers vernis. Il incisait et gravait la surface de la poterie pour révéler la couleur d'origine et les détails de moulure, pour les ajouter à ses travaux comme dans *Pichet avec faune* (1951).

Le travail de céramique a souvent été traité comme une forme d'art mineur et, au sommet de sa carrière, il est étonnant que Picasso s'y soit intéressé. Cependant, dans son travail de céramique, comme dans le reste de son œuvre, Picasso rompit avec les valeurs traditionnelles et reconnues et il y réunit avec succès la peinture et la sculpture.

Violon et feuille de musique,

Automne 1912, papiers collés colorés et gouache
78x63,5 cm
Musée Picasso, Paris

Construction : Violon,

Fin décembre 1913 - début 1914, boîte de carton, papiers collés, gouache, fusain et craie sur papier
51,5x30,4 cm
Musée Picasso, Paris

Mandoline et clarinette,
Automne 1913, construction : éléments en pin avec peinture et traits de crayon
58x36x23 cm
Musée Picasso, Paris

Construction : Verre, pipe, as de trèfle et dé,

Eté 1914, bois peint et éléments en métal sur une base de bois peints à l'huile
34x8,5 cm
Musée Picasso, Paris

Homme à la pipe,

Printemps 1914, Huile sur textile
imprimé collé sur toile
138x66,5 cm
Musée Picasso, Paris

**Composition avec
Papillon,**

15 septembre 1932, tissu, bois,
plantes, ficelle, pomme de
pin, papillon et peinture à
l'huile sur toile
16x22x2,5 cm
Musée Picasso, Paris

Footballer,

Printemps 1961, tôle coupée
et pliée, peinte de différentes
couleurs
58,3x 47,5x14,5 cm
Musée Picasso, Paris

Nature morte à la chaise cannée,
Printemps 1912, huile et toile cirée sur toile bordée de ficelle
73,7x94 cm
Musée Picasso, Paris

Vase : Femme avec une amphore,

Octobre 1947-48, corps blanc ; coulé et modelé, décoré avec des engobes et incisé
49x26,5x18 cm
Musée Picasso, Paris

Vase : Femme avec une mantille,

1949, corps blanc, coulé et modelé ;
peint avec des engobes
47x12,5x9,5 cm
Musée Picasso, Paris

Pichet avec faunes,
1951, corps rouge ; jeté et modelé ; reliefs coulés et appliqués, peints avec des engobes
26x22,5x16 cm
Musée Picasso, Paris

Buste de Femme,

1931, bronze (moulage unique)
78x44,5x54 cm
Musée Picasso, Paris

L'Homme au mouton,

1943, bronze
222,5x78x78 cm
Musée Picasso, Paris

Tête de Femme,

1929-30, fer peint, tôle, ressorts
et passoires
100x37x59 cm

190

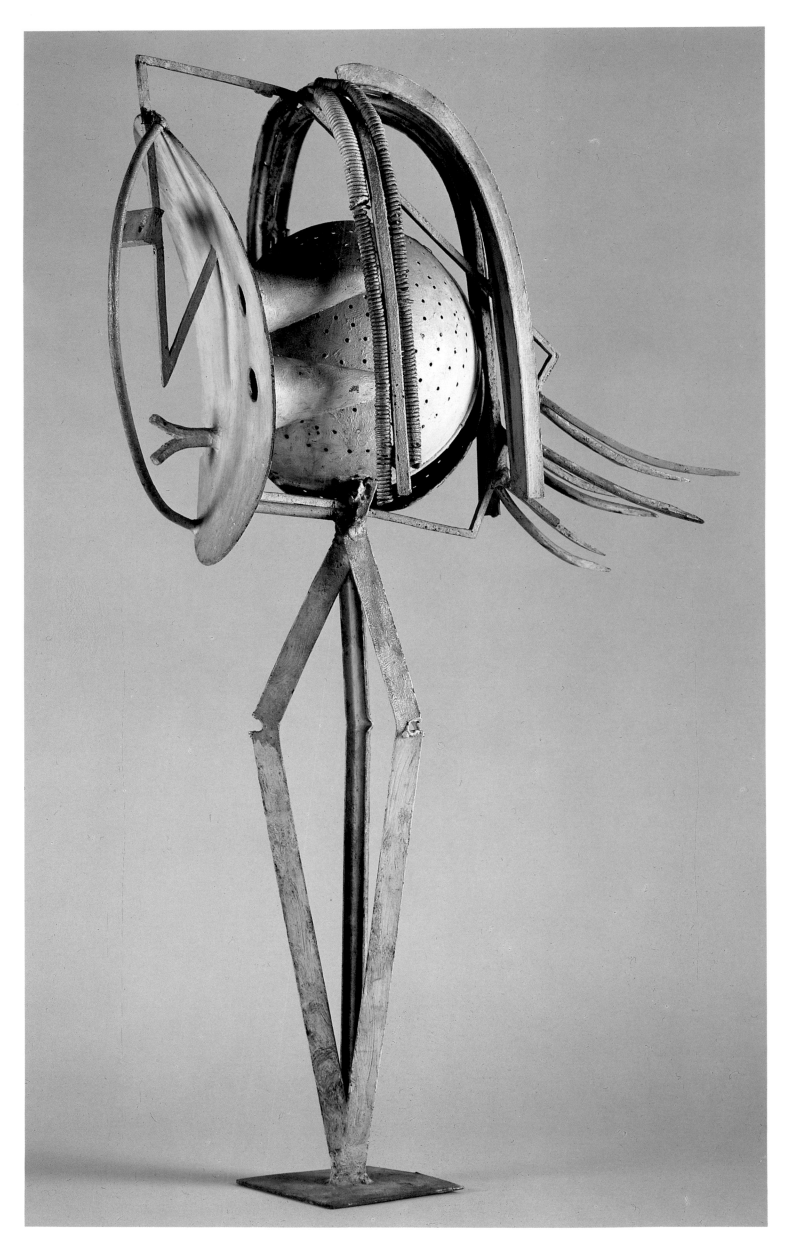

Remerciements de l'éditeur à Adrian
Hodgkins, le concepteur, le personnel des Musées nationaux de Paris, et
le Musée Picasso à Barcelone pour
leur précieux concours dans la réalisation de ce livre.

Toutes les photos nous ont été four-
nies par le musée ou la galerie accré-
dités, à l'exception de ceux prêtés
par les agences suivantes :

Art Resource : pages 10 (les deux),
11 (à gauche), 14 (au dessous à
droite), 20 (ci-dessous), 42
65,75,77,82,83,
109,123, 136, 146, 149, 152, 154-55,
185

Art Resource/The Bridgeman Art
Library : page 74

Art Resource/Giraudon : pages 14 (en
haut à gauche), 19 (en haut et en
bas), 20 (en haut), 28,
54,55,84,126,144,151,156,164

Art Resource/Scala : pages 22,
137,148,153

Art Resource/SPADEM Photothèque :
page 64

BBC Huton Picture Library : page 23
(en bas à gauche)

Bettmann Archive : pages 11 (à
droite), 15, 16 (en haut),
18, 23 (en haut), 143, 145

Bulloz : page 12 (en haut)

E T Archive : pages 79, 80-1, 157,
168-9, 170-1

The Keystone Collection : pages 17
(à droite), 23 (en bas à
droite)

Peter Newark's Historical Pictures ;
page 17 (en haut à gauche)

Novosoti Press Agency : pages 21
(en bas), 47